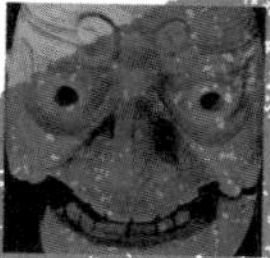

AUTHORIZATION

ムー的世界の新七不思議

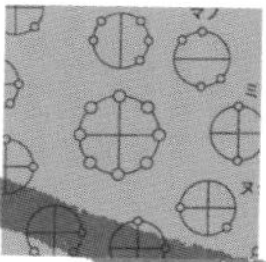

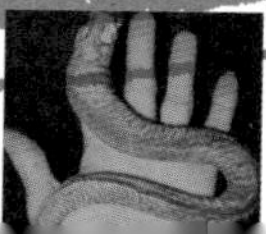

並木伸一郎 著

1章

フィロンの七不思議

8

ム認定
AUTHORIZATION

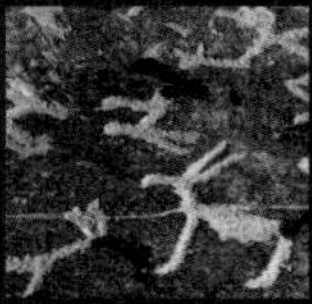

2章

7つの超古代文明

3章

日本の超古代文明

4章

『聖書』の七不思議　80

5章

UMAの七不思議　102

認定
AUTHORIZATION

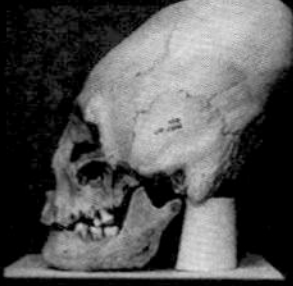

7章

7種の異人類

8章

7つの秘密結社

9章

7つの隠し財宝

10章

7種の異次元空間

あまたある伝説に残る巨大建造物――これらは壮大でミステリアスなものであり、昔も今も、人々を魅了してきた。なかでも、特に必見であり、不思議なものについては、神秘的な魔性を秘めた数字である「7」を冠し、「七不思議」と呼ばれる。

これまで数多くの七不思議が、さまざまな人物によって選定されてきた。その最古の七不思議こそが、紀元前2世紀に古代ギリシアの数学者フィロンが、ギリシア世界に存在した代表的な7つの建造物をひとつの書物に

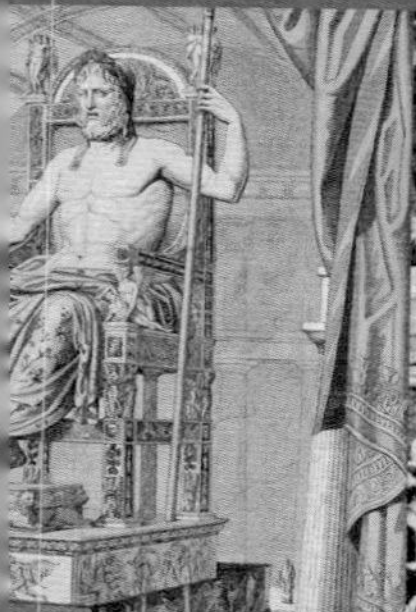

七不思議

まとめた『世界の七つの景観』、いわゆる「世界の七不思議」はここに始まるのだ。

　それは、「ギザの大ピラミッド」、「バビロンの空中庭園」、「エフェソスのアルテミス神殿」、「オリンピアのゼウス像」、「ハリカルナッソスのマウソロス霊廟」、「ロードス島の巨人像」、「アレクサンドリアの大灯台」である。このうち、ギザの大ピラミッド以外は現存していないが、その概要だけは伝えられている。

　驚異の巨大建築物についての伝説、いや、歴史に刻まれた記録について、さっそく見てみよう。

No.000001-No.000007

1章 フィロンの

ギザの大ピラミッド

唯一現存する七不思議

No.000001

古代ギリシアの数学者・旅行家のフィロン（紀元前260～前180年）が提唱した「世界の七不思議」。いずれも驚異の建造物を指すのだが、唯一現存するのがエジプト、ギザの台地にそびえる大ピラミッドだ。

約4500年前に当時の支配者クフ王が王墓として建造したといわれる。紀元前5世紀ギリシアの歴史家ヘロドトスによると、建造時の高さは約146メートル、底辺の長さはそれぞれ約230メートル。現在の外観こそ石灰岩の巨石を積み上げた階段状になっているが、建造当時の表面は白亜の大理石で化粧仕あげがされていたらしい。

だが、この巨大建造物は多くの謎を秘めている。たとえば、建造時にはあったはずの冠石が消失しており、ギザの他のピラミッドと比べても、内部構造が極端に複雑だ。

さらに、建造者がクフ王とする説も覆されつつある。その根拠は、内部の壁に「クフ」という神聖文字が描かれていただけにすぎない。

王墓説も疑問視されている。内部から王の遺体は未発見。「王の間」にあった石棺も蓋のない粗末なもので、中は空だった。イスラムのカリフアルマムーンが820年に内部に入るまで、盗掘された形跡がないのに副葬品も発見されていない。

それ以外にも奇妙な点は多い。基本設計に円周率や黄金分割比の概念が使用されるなど、神秘的な数字が数多く含められているのだ。

では、王墓でなければその建造目的は何なのか？　これには日時計説、天文台説、記念碑説など多

くの説が唱えられている。秘儀のための神殿説も提唱されているが、いずれの説も決定的ではない。
建造者についても同様だ。実は建造技術が現代のそれをも凌駕するほど高度なことから、約1万2000年前に滅びたとされるアトランティス文明の子孫によって建造されたと唱える研究者も少なくない。また、超古代に地球を訪れた異星人たちが建造したとする説もある。
いずれにしろ、これらの奇説が飛び出すほど、大ピラミッドは神秘的な謎に満ちているのだ。

▲かつてギザの大ピラミッドは、表面を良質な石灰岩の外壁で覆われた、白亜の巨大な建造物だったという。また、スフィンクスも色鮮やかに彩色されていたと見られる（イラスト＝久保田晃司）。

ム認定 AUTHORIZATION

No.000002

バビロンの空中庭園

宙に浮いて見える巨庭

「バビロンの空中庭園」は、かつてイラクに栄えた新バビロニア王国(カルデア王国とも)の統治者ネブカドネザル2世によって、紀元前600年ごろ、首都に建造されたという。現在のバグダッド近郊に、それとおぼしき土台の遺構が見られる。

ネブカドネザル2世といえば、征服したユダ王国の住民たちを強制的にバビロニアに移住させた「バビロン捕囚」で知られるが、この空中庭園建造にあたっては、なかなかロマンチストな一面をのぞかせている。というのも、緑豊かなメディア(現在のイラン北西部)から嫁いできた妃アシュティスのために、砂漠の国バビロニアにあって故郷の光景を望めるように、この庭園を建造したといわれているからだ。

新バビロニアの滅亡から約100年を経て同地を訪れたヘロドトスが伝え聞いたところでは、この空中庭園は高さ15メートル、400メートル四方の基盤の上に、それぞれ高さ25メートルものテラスがいくつも階段状に重ねられていた。最上部までの高さは100メートル以上に達し、屋上部の推定面積は約60平方メートル。あまりの大きさのために、遠くから見るとまるで空中に浮いているように見えたという。

土台やその他はレンガ、切り石などで造られ、テラスには防水のためにアスファルトが使用されていたらしい。空中庭園の正面には、訪問者のために上に登る階段が設置され、内部には多くのドーム状の部屋があったとされる。

なお、庭園にはきわめて高度な

▲バビロンの空中庭園は、400メートル四方の土台の上に、100メートルにもおよぶテラスが何層にも重ねられていた。20世紀初頭に考古学調査でこの遺構と思われるものが発見されている。

テクノロジーが用いられていた。土が盛られた各テラスには多くの花や樹木が植えられ、水は庭園近くを流れるユーフラテス川からいったん屋上のタンクに貯められて、そこからパイプを使って各テラスに給水していたとされる。自動散水装置らしきものもあったという。

とはいえ、いずれも伝聞にすぎないため、実際にこのとおりだったかは、現時点ではもちろん不明である。空中庭園は、紀元前538年のアケメネス朝ペルシアによるバビロン侵攻で破壊されたという。

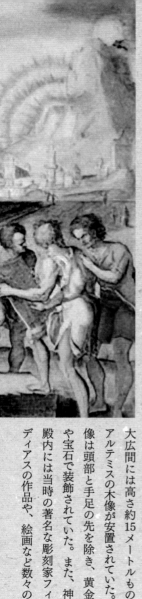

エフェソスのアルテミス神殿

No.000003

壮麗なる巨大神殿

アルテミスといえば、ギリシア神話の月と狩猟を司る女神である。そのアルテミスを祀る大理石製の巨大な神殿が、かつてトルコ、アナトリア半島西岸部の古代都市エフェソスにあった。世界の七不思議にあげられるほどの壮麗さを誇った神殿だったが、破壊しつくされ、現在はわずかに礎石を残すのみである。ちなみに同神殿は3度にわたって建設され、フィロンが称えたのは最後に造られたものである。最初に同神殿が造られたのは紀元前7世紀ごろ。これは異民族によって破壊された。紀元前５５０年ごろに再建されたが、紀元前３５６年に放火で失われた。そして、紀元前３２３年に3度目の建設がなされたのである。

だが、エフェソスがローマ帝国の治下にあった西暦２６２年、アルテミス神殿はまたもや異民族に破壊・略奪された。残された石材は他の建築物の建設に使われたという。

往時は多くの旅行者を呼びこみ、ときには市民の避難場所としても使われたというこの巨大神殿の大きさは、１世紀ローマの軍人であり博物学者であったプリニウスによると、長辺１１５メートル、短辺55メートル、高さ18メートル。イオニア式の石柱１２７本からなっていたらしい。内部は大理石の板石で覆われ、大広間には高さ約15メートルものアルテミスの木像が安置されていた。像は頭部と手足の先を除き、黄金や宝石で装飾されていた。また、神殿内には当時の著名な彫刻家フィディアスの作品や、絵画など数々の

芸術作品を所蔵していたという。
なお、ギリシア神話におけるアルテミスは銀の弓矢を携えて野山を駆けまわる処女神だが、エフェソスにおいてのアルテミスはかなり趣が異なる。小アジア先住民族の豊穣や多産を管理する大地地母神としての側面が強調され、見かけも少女のようなギリシア神話の女神と異なり、数多くの小さな乳房を持っている。実際、同神殿の遺跡近くの博物館に展示されている多くのアルテミス像には、実に21個もの乳房を持つものもある。

▲アルテミス神殿は長辺115メートル、短辺55メートル、高さ約18メートルの巨大神殿だった。七不思議を選んだフィロンは、この神殿の前には他の不思議はかすんでしまうと讃えたという。

ム認定
AUTHORIZATION

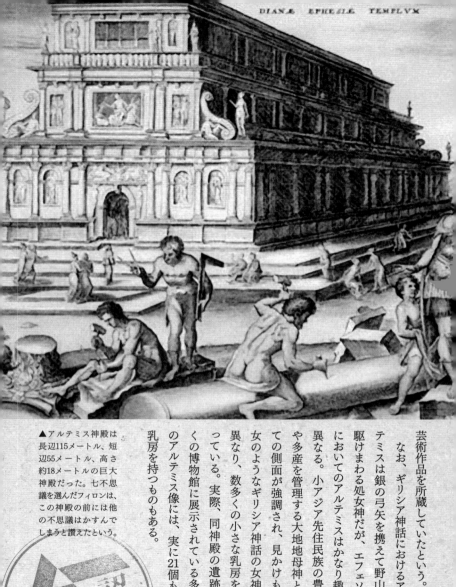

オリンピアのゼウス像

天を衝く黄金神像

No.000004

ギリシアの古代都市オリンピアの地に、アルティスと呼ばれる神域がある。紀元前776年ごろから整備が始められた聖域中の聖域であり、多くの神殿が建造されていた。中でも有名なのが、最高神ゼウスを祀ったゼウス神殿だ。

紀元前456年に完成した同神殿は総大理石製。長辺64メートル、短辺27メートル。34本のドーリア式円柱で屋根を支える巨大なものだった。そして、この神殿の最奥部に「この像を見ずに死ぬ者は不幸である」と、当時の人々にいわしめた「オリンピアのゼウス像」があった。

紀元前435年、彫刻家フィディアスによって制作されたという。

後世、古代の七不思議のひとつに数えられたゼウス神像は現在、絵画も複製品も残っておらず、その威容を再現するには古文書に頼るしかない。それによると神像は高さ90センチメートル、6・6メートル四方の大理石製台座の上に、玉座に座った形で安置されていた。座像にもかかわらず、神像そのものの高さは約12メートルあったという。

紀元前1世紀ごろのギリシアの地理学者ストラボンは「もしゼウス像が立ち上がったら、屋根を突き抜けてしまうだろう」と記述している。

像は象牙製で、頭に黄金製のオリーブの小枝の冠、足には黄金製のサンダル、右手には黄金と象牙でできた勝利の女神像を載せ、左手は先端に鷲が止まった王杖を握っていた。上半身は裸体で、膝の上に黄金製の着衣をかけている。木製の玉座の表面には黄金が貼られ、さまざまな宝石、象牙、黒檀、水晶などの象眼細工が施されていた。まさに豪華絢爛である。

さらに神殿入り口から入った光が最奥部の神像にまで届くよう、像の前にオリーブ油と水を混ぜた池を造り、光を水面に反射させて像を照らし出すように演出されていた。

神像の消息には諸説あるが、5世紀初め、ローマ帝国が出した〝異教徒神殿破壊令〟により、神殿とともに破壊されたともいう。

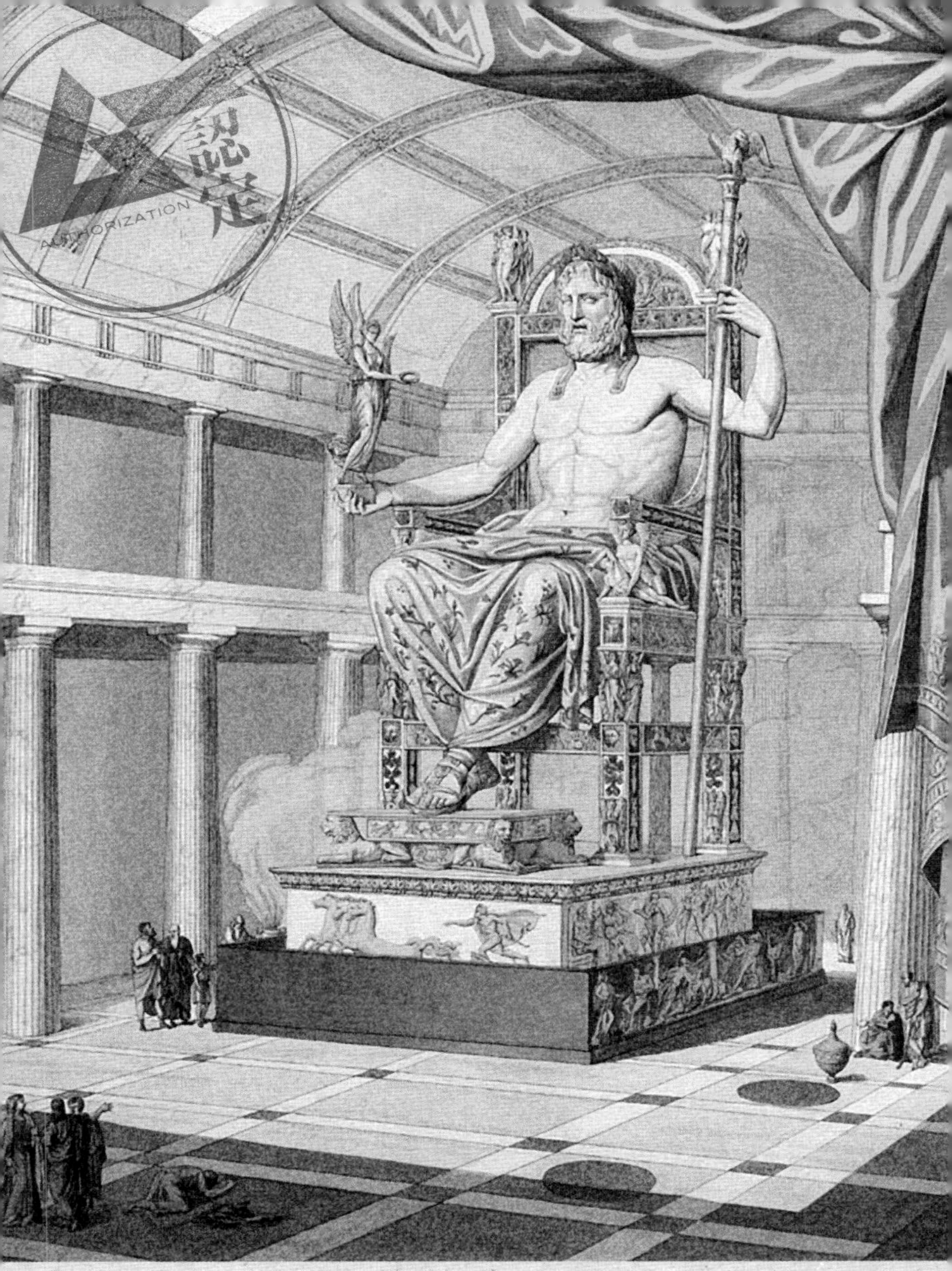

▲高さ約12メートルにもおよぶゼウス像は約10年の歳月をかけて造られたという。その消息には諸説あり、右記の破壊説のほか、４世紀ごろの火災、５世紀ごろの地震などで消失したともいわれている。

ハリカルナッソスのマウソロス霊廟

世界一美しい墓所

No.000005

トルコのハリカルナッソス（現ボドルム）に建造された巨大な墓所が、七不思議のひとつ、「ハリカルナッソスのマウソロス霊廟」だ。

完成は紀元前350年で、当時この地にあったカリア国の王マウソロスが、妹であり妻であった王妃アルテミシアとともに葬られていた。

この霊廟はアルテミシアが夫の死を悼み、世界で最も美しい墓所とすべく建造したと伝えられるが、実際はマウソロスの生前から建造が始まり、王の死から3年、王妃の死後1年を経て完成した。伝説によれば、アルテミシアは夫の死を悲しむあまり、その遺灰をワインに混ぜて飲み、この世を去ったという。

霊廟は当代一の建築家と芸術家をギリシアから招き、街全体を見下ろす丘の上に建てられた。その概要は彫刻やレリーフで飾られた33メートル四方、高さ42メートルの3層構造だったらしい。

まず丘の中央に基壇が置かれ、第1層が築かれた。ライオンの石像を横に配した階段が第2層へと向かう。外壁には多くの神像や騎士像が置かれた。第1層の天井部近くには、ギリシア神話などの一場面を描いたレリーフも施されていた。第2層は第1層から上げられた36本の円柱の集まりである。円柱と円柱の間には、さまざまな石像が置かれていた。第3層は第2層の円柱に支えられた屋根で、24段の階段状ピラミッド型をなしていた。ピラミッドの頂点には国王夫妻の像

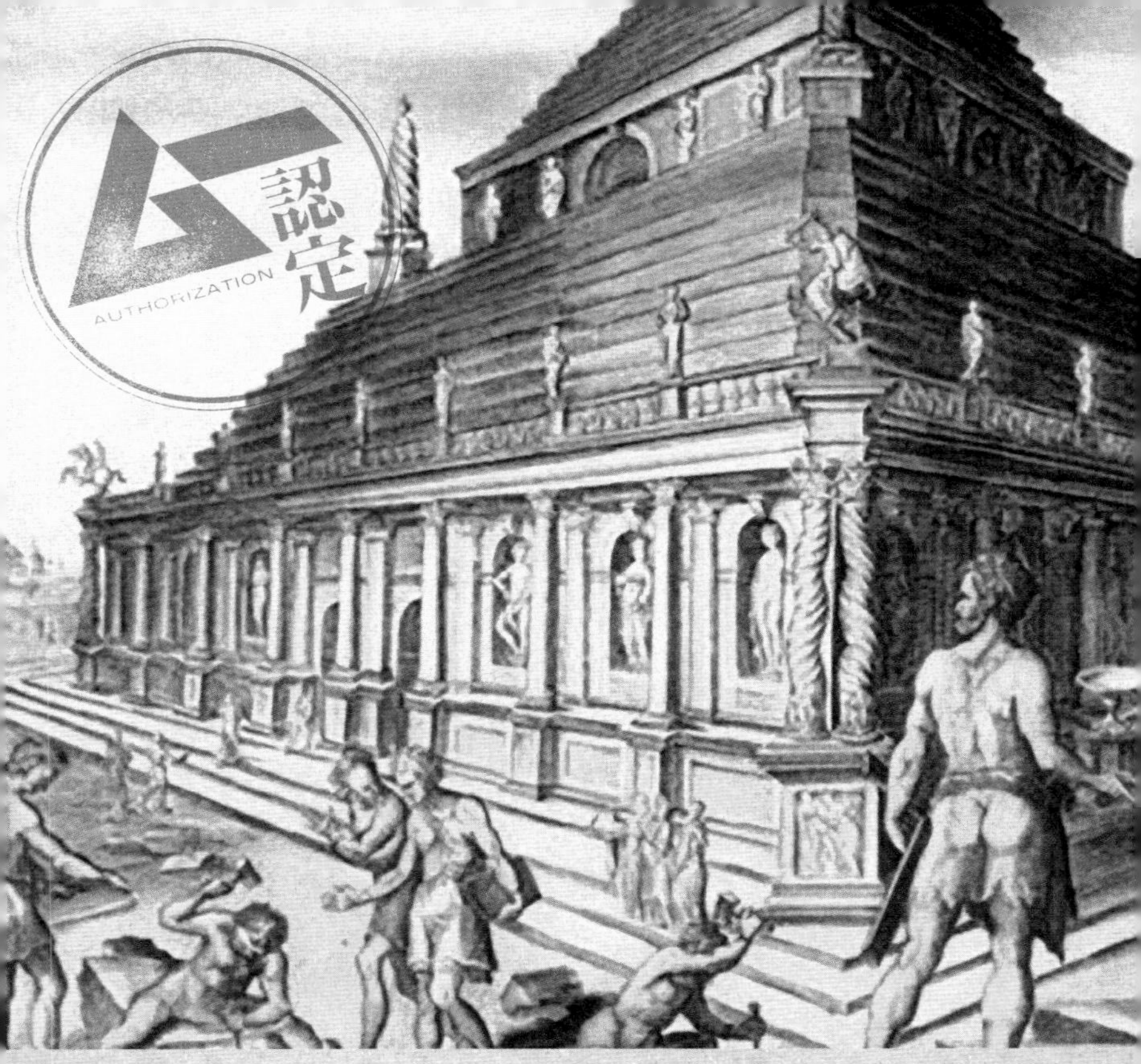

と、巨大な4頭立ての馬車の像が置かれた。ちなみに夫妻の遺灰は骨壺に入れられて、霊廟に収められたという。

マウソロス霊廟は、その後も外敵の襲来や数度にわたる地震にも耐え、1600年もの間、丘の上から廃墟となったハリカルナッソスを見下ろしていた。だが、地震により蓄積された被害は大きく、柱は崩れ、馬車像は地に落ちた。そして、1403年には土台が辛うじて確認できたのみであったという。現在もわずかにその痕跡が残っている。

▲カリア国の首都ハリカルナッソスの丘に建造された、高さ42メートルの3層構造の巨大霊廟。現在は、遺跡が残るほか、一部の彫刻はイギリスの大英博物館に所蔵されている。

ロードス島の巨像

勝利を記念した太陽神の像

No.000006

ギリシア、エーゲ海南東部に浮かぶロードス島のマンドラキ港に、紀元前284年に太陽神ヘリオスを模した巨像が建造されたと伝えられる。建造の目的は、強敵との戦いに勝利をもたらしてくれたヘリオスへの謝意を表すためだった。

古代の記述によれば、「ロードス島の巨像」は次のようなものだ。

まずマンドラキ港の入り口付近に高さ15メートルの大理石製の台座を設置。その上に鉄製の骨組みを作り、さらに薄い青銅の板で骨組みを覆った。外装は敵が遺した武器や攻城塔を鋳潰したものが使われた。建造には盛り土で造られた傾斜路を利用したと思われる。組み立てが上に進むにつれて、傾斜路の高さを調節して対応したらしい。

完成時の神像の高さは34メートル。台座を含めると、実に約50メートルに達した。まさに七不思議のひとつにふさわしい驚異的な大きさだ。

だが実のところ、その真の姿は資料が乏しく、謎に包まれている。像の形態も、両脚を開いて港をまたぐ形で立っていたとも、両脚は閉じていたともいう。また、右手には敵対する船が港に侵入するのを防ぐために、煮えたぎった油や鉛を満たした器を持っていたともいう。

ちなみに、巨像の命はきわめて短かった。建造からわずか58年後の紀元前226年、ロードス島で地震が発生し、巨像は膝から折れて倒壊してしまったのだ。この悲劇に像の再建案も出たが、最終的に住民たちはそれを良しとしなかった。神に似せた像を造ったため、地震という神罰を被ったと考えたのだ。

その結果、巨像は約800年にわたり放置され、残骸を見るために多くの観光客が訪れたという。

ローマの博物学者プリニウスによると、像から脱落した親指すら、腕を回せる者はほとんどいないほど太かったという。654年、残骸はイスラム商人に売却され、彼らはそれを900頭のラクダの背に積んで持ち去った。こうして巨像の遺構は何ひとつ残らなかったのである。

▲ロードス島がマケドニアの攻撃を受けた際、エジプトの協力で撃退に成功。それを記念して建造されたという巨人像。台座を含め50メートル近かったというが、その形状や建造法は不明だ。

アレクサンドリアの大灯台

No.000007

フィロン没後の新七不思議

アレクサンドリアは、紀元前4世紀に活躍したマケドニアのアレクサンダー大王がエジプトに建設した港町である。以降、アレクサンドリアはエジプト最大の都市として商業、貿易、文化、芸術の一大中心地として栄えた。そして、紀元前250年ごろに沖合に浮かぶファロス島の東端に建造され、威容を誇ったのが、高さが推定で134メートルにもおよぶ大理石製の「アレクサンドリアの大灯台」である。建設当時、「ギザの大ピラミッド」を除くと、世界で最も高い建造物のひとつだった。

大灯台の基板は約30メートル四方。頂部に灯火室が設けられていた。中には直径1メートルものレンズもしくは鏡があり、これに光を反射させたと考えられている。光の強弱や方向は、この反射鏡で自由に調節したらしい。さらに、発した光は50キロ先からでも識別可能、太陽光線を集めることで160キロもの遠方にある敵船を焼くこともできたのだ。

なお、光源は通説では火とされているが、その燃料については樹脂成分の多い木材、鉱物性の油など諸説あり、現時点では定まっていない。

また、大灯台の最上部には何体かの青銅像が取りつけられていたが、これらの像には、現代のレーダーのように、太陽の動きにつれて手の位置が変わったり、敵船が近づくと叫び声を発したり、風向を知らせるものもあったという。

大灯台は西暦796年の地震で倒壊した。さらに1303年、1323年に起きた地震によって完全に崩壊した。1480年ごろには跡地に大灯台の残骸を利用した要塞が築かれ、大灯台は完全に姿を消したのである。

――実は、この「アレクサンドリアの大灯台」は、フィロンによって提案された七不思議には含まれていなかった。当時、彼が選んだのは「バビロンの城壁」だったという。というのも、フィロンの選定時、大灯台はまだ建設されていなかったからだ。後に大灯台を選んだ人物の正体はわかっていない。

▲灯台が発した光は50キロ先の沖合からでも見ることができたとされる、アレクサンドリアの大灯台。1994年にはダイバーが海底で偶然、その遺物と思われるものを発見している（イラスト＝久保田晃司）。

われわれの知る歴史では、人類の文明誕生は約5000年前のシュメールに始まるとされる。以後、世界各地にさまざまな文明が築かれ、発展してきた。それがアカデミズム的な〝常識〟とされている。

ところが、世界各地に偏在している文明の遺構の新発見、あるいは調査が進むとともに、文明の起源は5000年どころか、倍の1万年を遡ると仮説されるものが見つかっている！　それが、伝説とともに語り継がれる超古代文明の数々である。

古代文明

本章では、1万2000年以上前に栄華を極めながらも、未曾有の天災によって一夜にして海中に消えた「ムー」や「アトランティス」、第3の幻の大陸「レムリア」、現在も新発見が相次ぎ〝真実のムー〟とも考えられている「スンダランド」、今後の調査によって文明史を根底から覆す可能性をもつ「ロシアの地底遺跡」、「南極古代遺跡」、そして、紀元前より実在が真しやかに囁かれる伝説の地底王国「アガルタ」の7つを、失われた超古代文明に認定する!

No.000008-No.000014

2章 7つの超

ムー大陸

聖なる碑文が語る幻の文明

No.000008

20世紀初頭に出版された、イギリスの考古学研究家ジェームズ・チャーチワード著『失われたムー大陸』は、世界中で話題を呼んだ。

軍人であった彼は、インド駐屯地勤務で訪れたヒンドゥー教の僧院で、高僧から「ナーカル（聖なる兄弟の意）」という特殊な言語で書かれた粘土板の存在を教えられた。そこには人類の起源の物語と、かつて繁栄をきわめた「ムー」という大陸の存在が記録されていたのだ。

「ナーカル碑文」というその粘土板によると、ムーは太平洋の中心部に位置する東西8000キロ、南北5000キロの広大な大陸だった。人類は5万年以上前にこの大陸で生まれ、高度な文明を築いた。

大神官ラ・ムーの統治下、7つの都市を擁し、気候に恵まれ、実り豊かなこの地上の楽園で、6400万人もの人々が暮らしていたという。人々は優れた航海術によって、環太平洋地域から中国、東南アジア方面まで足をのばした。そして交易を介して文化を広め、莫大な富を手に入れたのだ。だがその栄華は突如、終わりを告げた。約1万2000年前、地震や火山の爆発に続いて巨大津波が発生。大陸は一夜にして海底に沈んだのだ。

チャーチワードは、ムーの実在は古代文明の記録にも残ると主張。たとえば19世紀フランスの聖職者ブラッスールによるマヤの古記録、チベット寺院に伝わる古記録、イースター島の碑文……。また、環太平洋の島々に広がる文化の奇妙な一致も、ムー実在の根拠とした。

だが、現代の海洋地質学により、太平洋に水没した大陸があった可能性は否定され、ムーも単なる夢物語として片づけられていった。

ところが近年、氷河期の東南アジア地域にあったスンダランド（後述）という古大陸こそ、ムー大陸だったという説が唱えられだした。同大陸が氷河の融解で海面下に沈んだのは約1万2000年前と見られ、ムー伝説と一致する。謎のムー大陸の解明は始まったばかりなのだ。

▲ムーは東西8000キロ、南北5000キロにおよぶ太平洋上の広大な大陸だったという。
▶イギリス陸軍大佐・考古学研究家でムー大陸の存在を世に知らしめたジェームズ・チャーチワード。

Above—Tablet of diorite and andesite, red and red and yellow in color. Below—Some Mongolian figures which Mr. Niven says are the most perfect he has ever found.
Tablet—diorite, 43x25x20 centimeters, red and yellow.
Red and yellow tablet of diorite.

▲ムー大陸の実在を証明するため、チャーチワードはムーに関する石像などの遺物の数々を公開した。

▲▶右：ムー大陸の民たちが崇めていたという宇宙創造の神ナラヤナは7つの頭をもつヘビの姿をしている。上：ムーの国のシンボルマーク。

▲チャーチワードが描いたムー大陸最後の日の様子。上：巨大地震が発生し、大陸の火山がつぎつぎに噴火した。下：続いて、大津波が大陸を襲い、あらゆるものを流しさっていった。

▲上：イースター島はムー大陸の一部であり、モアイは大陸の神に似せて造られたという。下：チャーチワードが調査し、ムー文明のひとつと推測した、ミクロネシア連邦ポンペイ島のナン・マドール。

▲インドネシアのスラウェシ島の巨大石造物。これもまた、ムー文明の名残を今に伝えるもののひとつなのだろうか（写真＝オランダ・熱帯博物館蔵）。

No.000009

アトランティス大陸

現代文明を凌駕する超文明

はるかな太古、繁栄していたとされる「アトランティス大陸」。温暖な気候と豊かな実りに恵まれたこの大陸の住民たちは、きわめて徳が高く、聡明で、超能力を駆使する者もいた。彼らは必要とするエネルギーはレーザーを用いた遠隔操作で得ていた。また、オリハルコンと呼ばれる超金属を操り、航空機や船舶、潜水艦なども建造しており、さらには、テレビや電話、エレベーターなども普及していた。

だが、そんな文明の極みに達していた彼らの住む大陸は、約1万2000年前に突如として起こった大地震と大津波に襲われ、一夜にして海中に没したのである。

この悲惨な末路を迎えた大陸について歴史上、最初に記録したのは、古代ギリシアの哲学者プラトンだった。彼はかつてギリシアの政治家だったソロンが、エジプトの神官から聞いた話として、その大陸の詳細を著書『ティマイオス』と『クリティアス』に記している。

それによると、アトランティスは100万年前、海神ポセイドンの子である5組10人の双子たちが治めた広大な大陸だった。10人の王たちは善政を敷き、アトランティスは平和と繁栄を享受していたが、やがて王たちに驕りが生じ、彼らは突如として他国に侵入。これが神々の逆鱗に触れ、アトランティスは滅びの日を迎えたのだ……。

プラトンによる幻の大陸の記述は、後世の西欧世界を引きつけた。そして、著書に示されたアトランティスが沈んだとされる「ヘラクレスの

▲大西洋上の中央にアトランティス大陸が描かれた地図。右はアメリカ大陸、左はアフリカ大陸だ。

柱」、すなわちジブラルタル海峡の彼方＝大西洋に向かい、人々は地中海から大海に進出したのである。この衝動がやがて大航海時代をもたらす動機のひとつとなった。

その後も多くの人々が謎の文明の痕跡を求めて研究を重ねたが、今なおアトランティスは発見されていない。やはりアトランティスは伝説上の大陸にすぎないのか？　だが21世紀の現代に到っても、幻の大陸に比定される土地を発見したとの報道が、ときおり世界中を湧かせることもまた事実なのだ。

ム認定
AUTHORIZATION

▲アトランティス大陸の首都ポセイディア中心部の想像図。巨大運河で外海と結ばれた環状都市だったという。
◀アトランティス大陸の存在を著書『ティマイオス』『クリティアス』の中で紹介した古代ギリシアの大哲学者プラトン。

▲アトランティス大陸の想像画。未知の大陸の上に都市が築かれている。
▶ジュール・ヴェルヌ作『海底二万里』に描かれた、アトランティスの光景。プラトンの伝えたアトランティス伝説は、後の人々を魅了した。

▲上：アトランティスの痕跡のひとつとされている、アメリカ、フロリダ半島沖海底の遺跡ビミニ・ロード。
下：地中海のマルタ共和国ゴゾ島に遺るジュガンティーヤ神殿遺跡。この地はアトランティスの版図だった？

▲上：カナリア諸島のグイマー・ピラミッドは、海上に残されたアトランティス大陸文明の名残りとされている。
下：フランス、ブルターニュ地方のバルヌネの石塚は、アトランティスの子孫が祖国を偲んで築いたという。

レムリア大陸

レムールが示したその可能性

No.000010

太平洋のムーと大西洋のアトランティスという沈没大陸に勝るとも劣らない謎の巨大大陸が、実はインド洋にも沈んでいるという。北はインド、西はアフリカ、南はオーストラリア、東はインドネシアに囲まれた海域に浮かんでいた、この幻の古大陸は「レムリア」と呼ばれる。

レムリアの名づけ親は19世紀イギリスの動物学者フィリップ・ラトリー・スクレーター。アフリカ東部、マダガスカル島に棲息するキツネザルの一種「レムール」が語源である。

実は、奇妙なことに、レムールはすぐ西隣のアフリカ大陸には棲息していない。それにもかかわらず、海を隔てて数千キロも離れたインドやスリランカ、インドネシアなど、南アジアから東南アジアにかけての地域、すなわちインド洋の周辺地域には散在して棲息しているのだ。

いかにも奇妙で不可思議な分布である。偶然とも考えにくい。生物学上の常識からすると、同一種の生物が隔絶地で互いに無関係に発生することはありえないからだ。

しかもレムールはきわめて臆病な動物で、泳ぐこともできない。大洋を泳いで東アジア等に到達した可能性は皆無なのである。となると、考えられる原因はひとつ。マダガスカルとインドや東南アジア周辺は、かつて巨大な陸地でつながっていたのではないか……？　これらの事実を踏まえ1874年、スクレーターは「レムリア仮説」を提唱したのだ。

だが、これはあくまでレムールの分布をもとに考えられた「仮想の大陸」にすぎない。そして20世紀以降の地質学の進歩によりプレート・テクトニクス理論が完成し、大陸移動説が裏づけられるようになると、レムールの不可思議な分布も無理なく説明されるようになった。そのためか、近ごろはレムリア大陸についてはあまり話題に上らない。

とはいえ、ムーを提唱したジェームズ・チャーチワードが、ムー大陸の起源をレムリア大陸に求めるなど、この仮説が超古代文明研究におよぼした影響は決して小さくない。

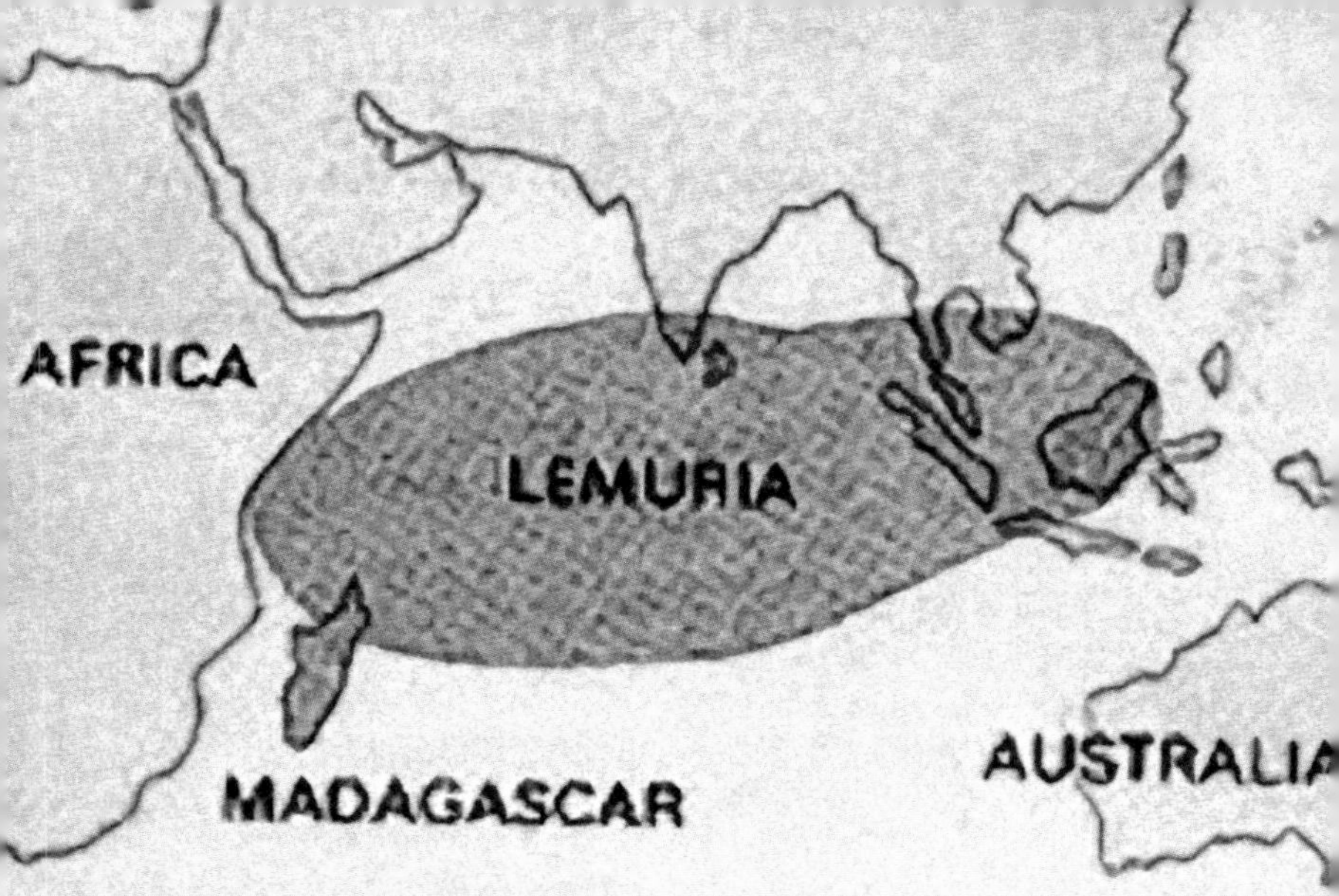

▲レムリア大陸の位置を示す地図。北はインド、西はアフリカ、南はオーストラリア、東はインドネシアに囲まれたインド洋上にあったと仮説された。

▲キツネザルの一種レムールの分布から、レムリア大陸は想像された。

▶イギリスの神智学者スコット・エリオットが著書『アトランティスと失われたレムリアの物語』の中で描いたレムリア人の想像イラスト。

No.000011

古大陸スンダランド

真のムー大陸はここなのか？

現在の東南アジア地域、すなわちマレー半島東岸からインドシナ半島に接する海底の大陸棚は、かつて地上にあった「スンダランド」と想定される古大陸だったという。

約7万年前から1万4000年前まで続いたヴュルム氷河期時代。当時、海面は現在より約100メートルも低く、大陸棚は海上の広大な平野だった。だが、氷河期の終わりからの温暖化で海面が上昇、約1万2000年前に、スンダランドは海底に没したという。

なお、スンダランドには驚くべき説がある。アフリカを祖とする人類は、主にコーカソイド（白色人種）、モンゴロイド（黄色人種）、ネグロイド（黒色人種）に大別されるが、このうちモンゴロイドの発祥の地だという。いわゆる「モンゴロイド南方起源説」だ。スンダランドで生まれたモンゴロイドが、約5万年前に移動を始めた。その一部は北上し、モンゴルやシベリアにまで広がり、寒さに適応しながら北方系のアジア民族になった。さらに彼らの一部はシベリアから当時、陸続きとなっていたベーリング海峡を越え、アメリカ大陸に広がっていった。また、スンダランドに残った一部の人々は、海洋民族として太平洋に広がった。さらにその一部の人々がスンダランドと陸続きになっていたジャワ島やバリ島から海を渡り、オセアニアに移住したとする説もある。

ちなみに「モンゴロイド北方起源説」も有力で、現在、日本人のルーツは北から来たのか、また南から来たのかは定かになっていない。

▲スンダランドの文明遺構と目されている、インドネシア、ジャワ島のグヌンパダンの巨石遺構。最終氷河期の最中に建造されているという。

ところで近年、スンダランドが海底に没したといわれる時期から考え、実はこの大陸こそムー大陸だったのではないかという説が浮上してきている。太平洋と東南アジア地域という位置のずれはあるが、両者が海底に沈んだ時期がほぼ重なり合っているからだ。

しかも近年、タイのスンダランドがあったと目される海底で、自然の造形とは思えない奇妙な構造物が発見されたという。仮にこの構造物が人工なら、人類の歴史は大きく覆るかもしれない。

ム認定
AUTHORIZATION

ドゥアトゥンバ文明

ロシア超古代文明の痕跡

No.000012

2013年、ロシアのコラ半島で、ピラミッド型の遺跡が複数発見された。東西に相対するように建てられたこれらの遺跡は、約9000年前のものだという。事実なら、エジプトのそれよりはるかに古い。コラ半島は北極圏に位置するため調査は難航中だが、詳細が待たれる。

実は広大な国土を誇るロシアには、多くの謎めいたピラミッドが眠っている。とくに不可思議なのが、2001年にウクライナのクリミア半島で発見されたものだ。発見者は同国の科学者ヴィターリ・ゴー。このピラミッドは高さ45メートル、底辺の長さが一辺75メートルにおよび、中央アメリカ、マヤのピラミッドと同様、先端が切りとられた形状だが、全体はエジプト、ギザの大ピラミッドに似ているという。

そして2014年、同ピラミッドから新発見がもたらされた。土台の下から得体の知れない生物のミイラが発見されたのだ。ミイラの身長は約1・3メートルで頭に王冠のようなものをかぶっていたという。だが、ピラミッド発見当時はウクライナ領だったクリミア半島は、2014年のクリミア危機以来、ロシアの実効支配下にある。政治的不安定のためか、調査は進んでいない。

また、極東部沿岸の聖なる双子山として知られるセストラ山とブラト山が、ともにピラミッドであるという報告がされだし、バイカル湖最西端部にもピラミッド状人工構造物が存在していたことも判明した。

ピラミッド以外にも、ロシアでは謎めいた構造物や、とうてい人類

が扱いかねるような超巨石オーパーツなども発見されているのだ。

ここで、ロシアから遠く離れたエジプトの紀元前3世紀に建立されたエドフ神殿に残された記録を紹介する。それは次のようなものだ。

「洪水の起きた北国ドゥアトゥンバから啓蒙された人々がやってきてピラミッドを建造した」

ロシアの謎のピラミッド群――これらこそが古代エジプト文明のルーツであり、超古代にロシアで栄えていた「ドゥアトゥンバ文明」の名残である可能性は否定できない。

▲2010年にウクライナのクリミア半島で発見されたピラミッド。高さ45メートル、1辺75メートルにおよぶ巨大なものだ。2014年、地下からは謎のミイラも発見された。

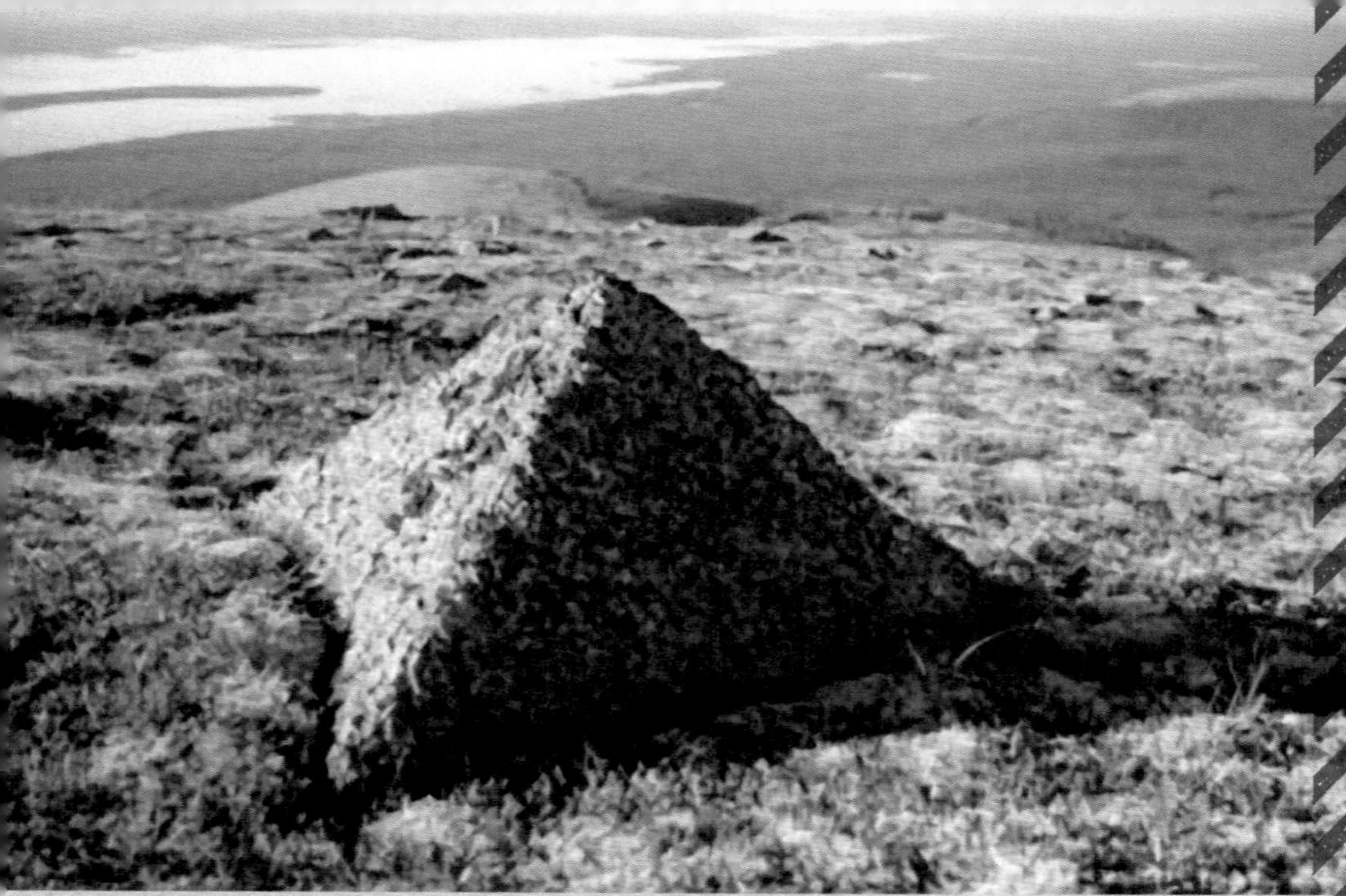

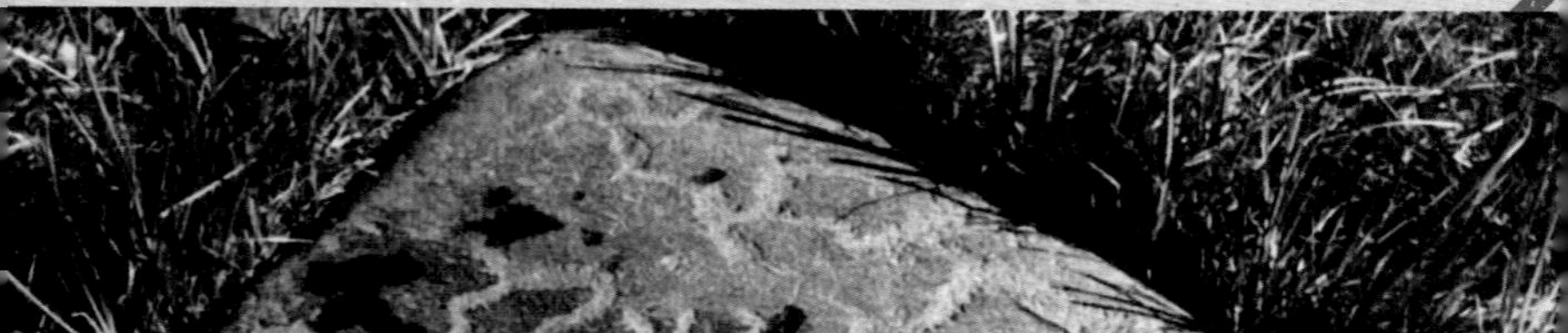

▲上下：ロシア北方のコラ半島で2013年に発見された、ピラミッド型遺跡。建造は約9000年前だという。北極圏のため、現地調査は困難をきわめている。

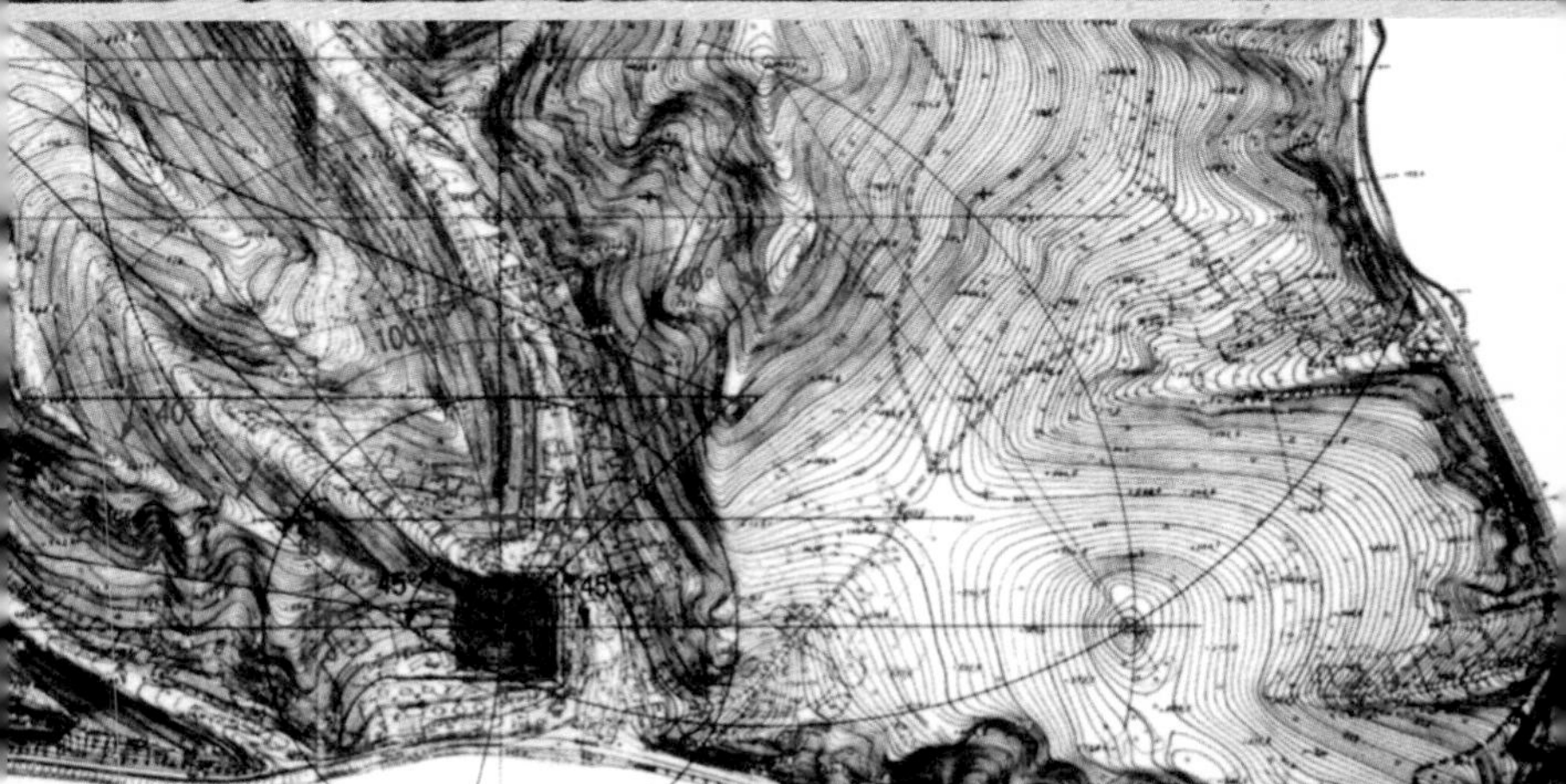

▲上：2012年10月にバイカル湖最西端部で確認された、四辺約170メートルの四角錐ピラミッドの一部。
下：バイカル湖のピラミッドの位置、高さを示す図。

南極の超古代遺跡

目覚めつつある超古代の痕跡

No.0000013

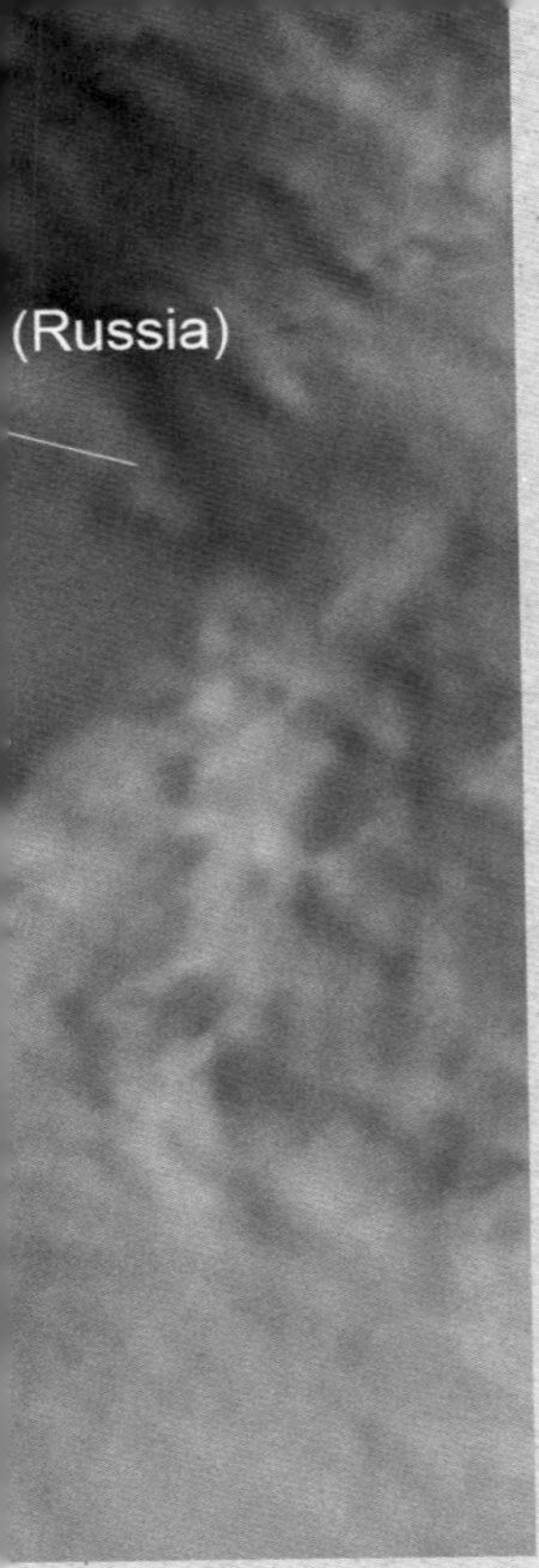

ロシアのヴォストーク南極観測基地近く、深さ約4キロの位置に、幅約40キロ、長さ約250キロにおよぶ巨大な地底湖——ヴォストーク湖がある。最深部は約800メートル、総面積は約1万4000平方キロ。

2001年4月、ロシアの監視衛星が撮影した画像の解析により、この地底湖に人工構造物あるいは人工装置が眠っている可能性が高まった。

ほどなくして、基地の近くで異常な地磁気の乱れが発生した。そしてその原因が、湖底の人工物にあるとする説が提唱されている。

さらに2016年年5月、アメリカの考古学者で冒険家のジョナサン・グレイは、かつてアメリカの某テレビ局の取材クルーが南極に巨大遺跡が存在するとの証拠を入手、ビデオテープに収めていた、と発表した。この取材クルーは2002年11月以降、消息不明となっているが、ビデオテープはヴォストーク基地の西にある放棄された資材置き場で、カメラに入ったまま発見された。テープには遺跡とそこで発見された異星人の超技術を用いた機器の存在を示唆する映像が残されていたというのだ。

この巨大遺跡=ヴォストーク湖底遺跡かどうかは不明だが、実は南極は超古代文明の痕跡の宝庫であり、数々の奇妙な構造物が発見されている。中でも最近の注目は、グーグルアースによって暴かれたものだ。画像を見た多くの人々がUFO地下基地への入り口を連想した洞窟だ。屋根らしきものを備えた幅約42メ

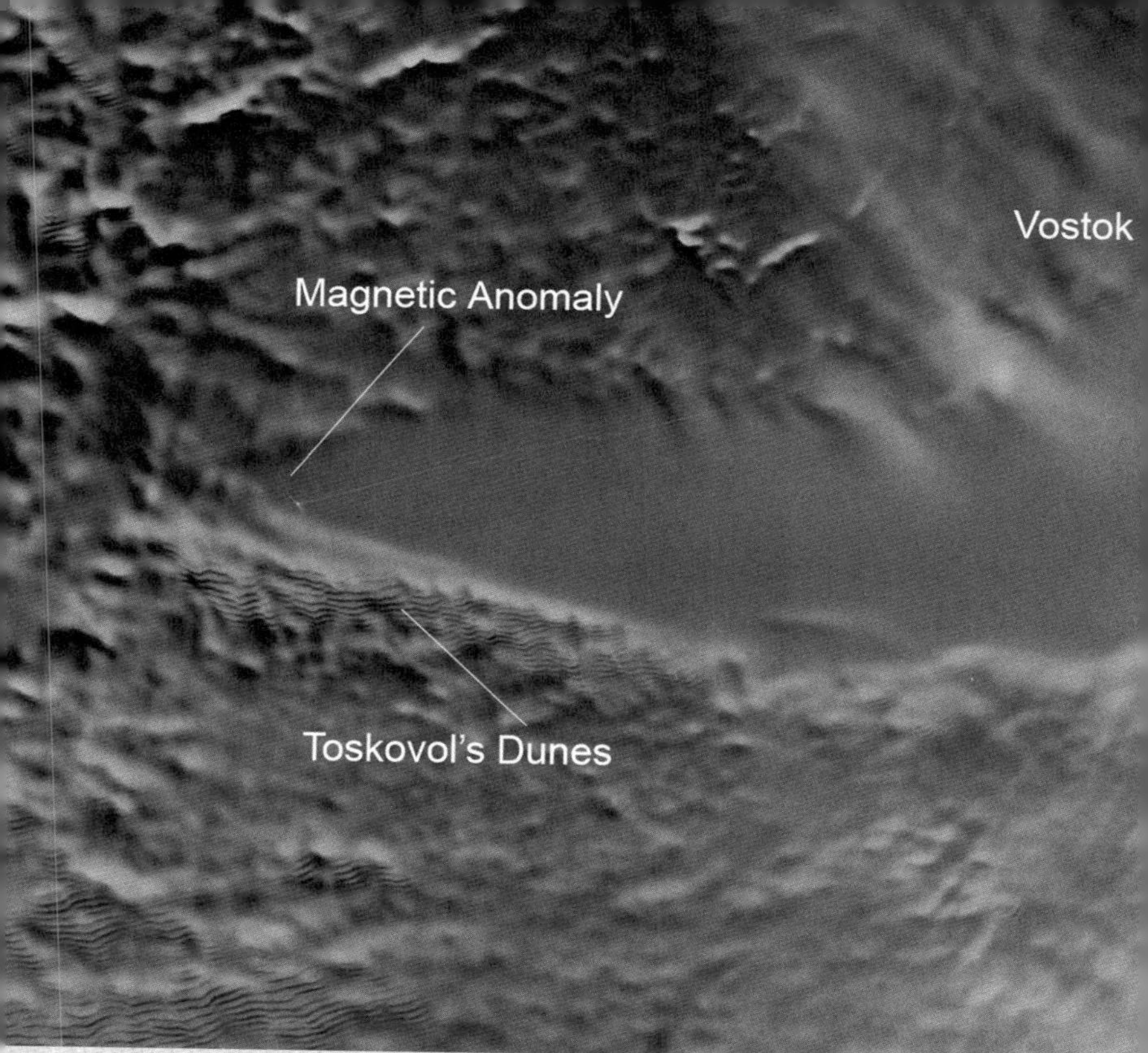

▲ヴォストーク湖の地磁気異常地帯。この地底湖には、人工構造物あるいは人工装置があり、その影響で地磁気を乱しているのだろうか？

ートルの入り口は、確かにUFOが出入りするに十分な広さだ。

　さらに同様の洞窟が別の地点でも発見されている。こちらは幅約150メートル、高さ約37メートル。先の洞窟とは数キロ離れた位置にある。このふたつは地下でリンクしているといわれる。となると、本当に地下にUFO基地が存在する可能性は否定できない。

　かつてナチス・ドイツが南極に基地を造ってUFOの研究をしたといわれるが、もしかしたらこの謎の基地を利用したのかもしれない。

認定
AUTHORIZATION

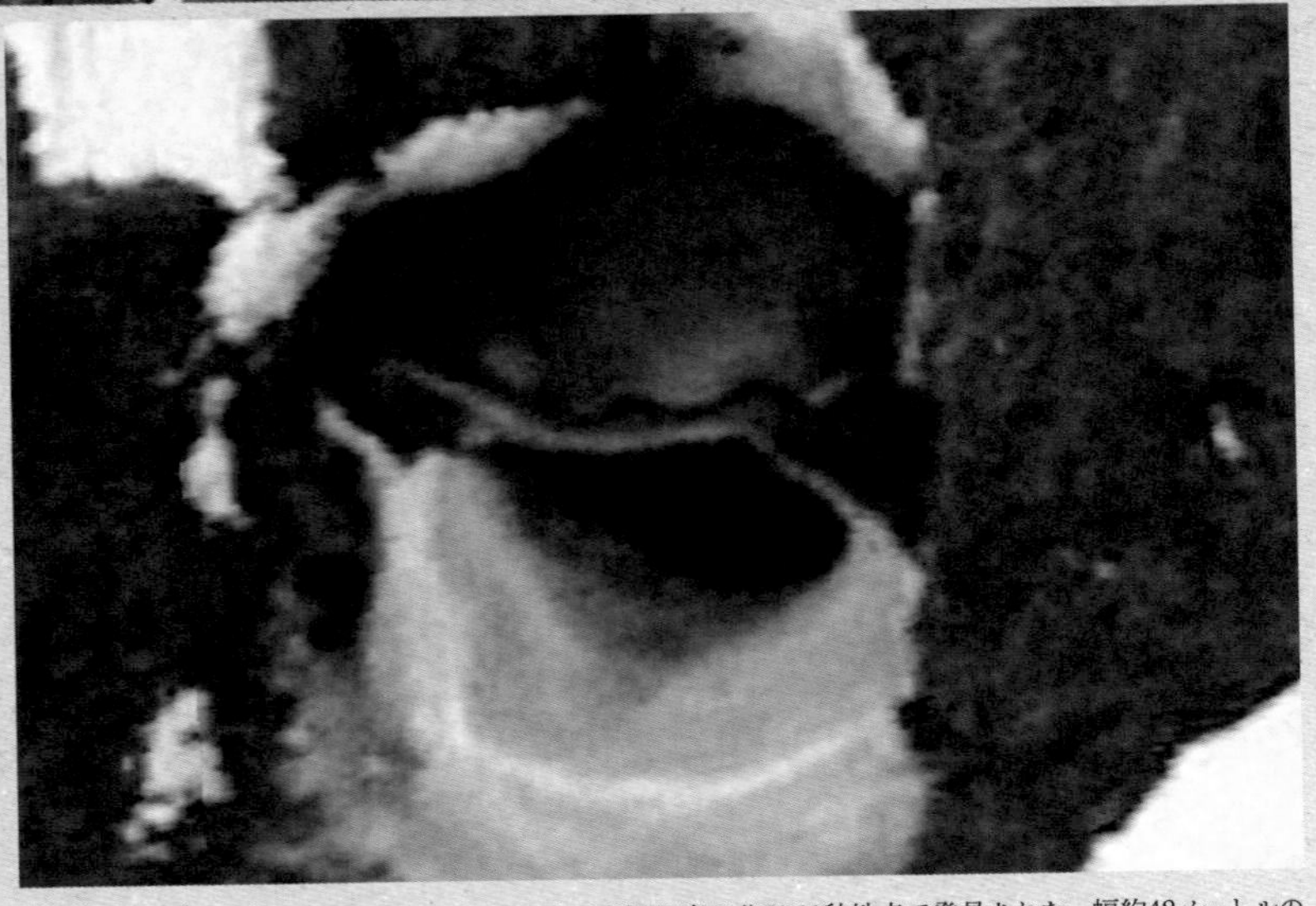

▲上：グーグルアースの南緯66度36分14.70秒、東経99度43分11.11秒地点で発見された、幅約42メートルの謎の洞窟。ＵＦＯ地下基地への入り口なのだろうか。下：洞窟の拡大画像。

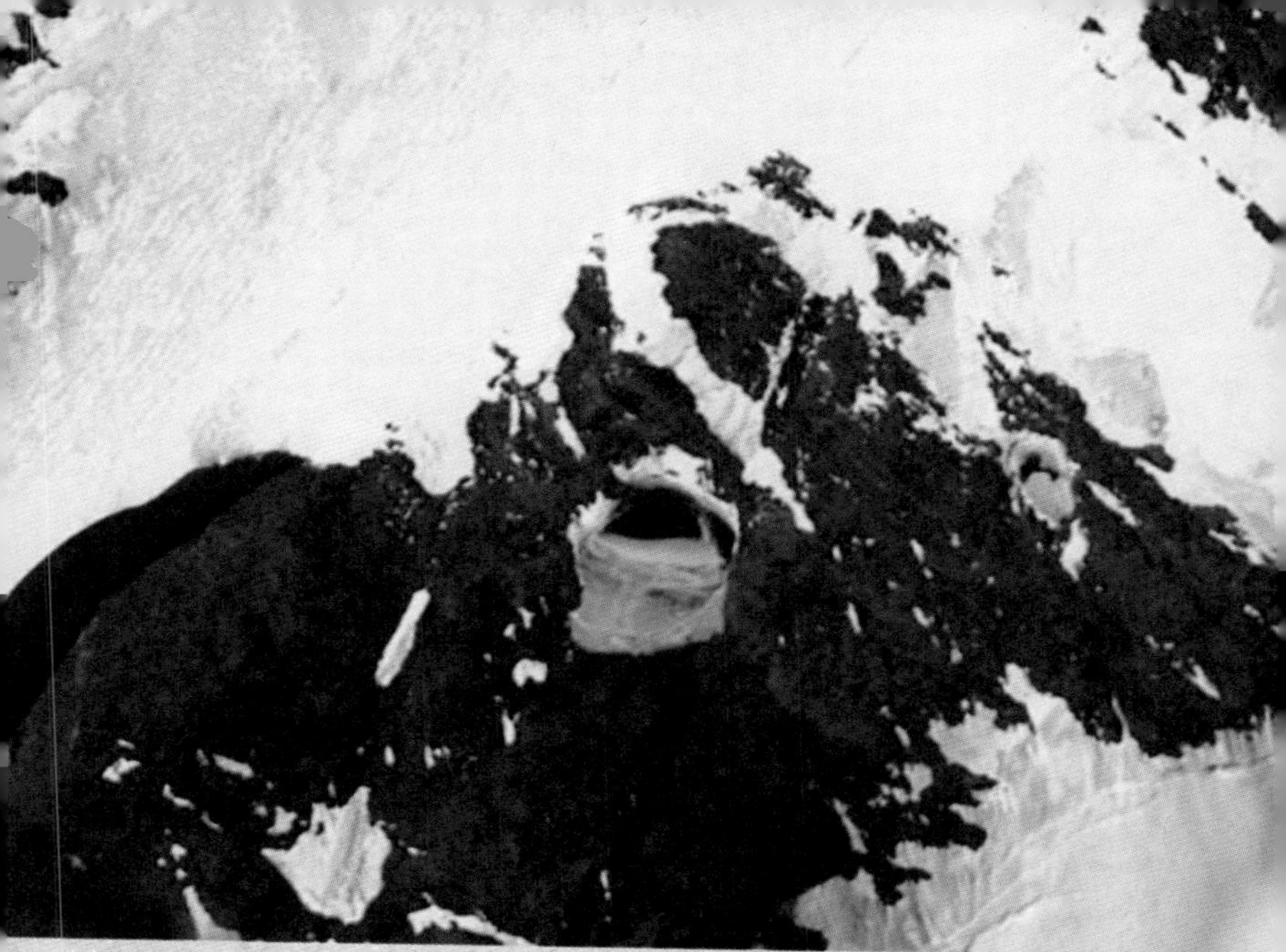

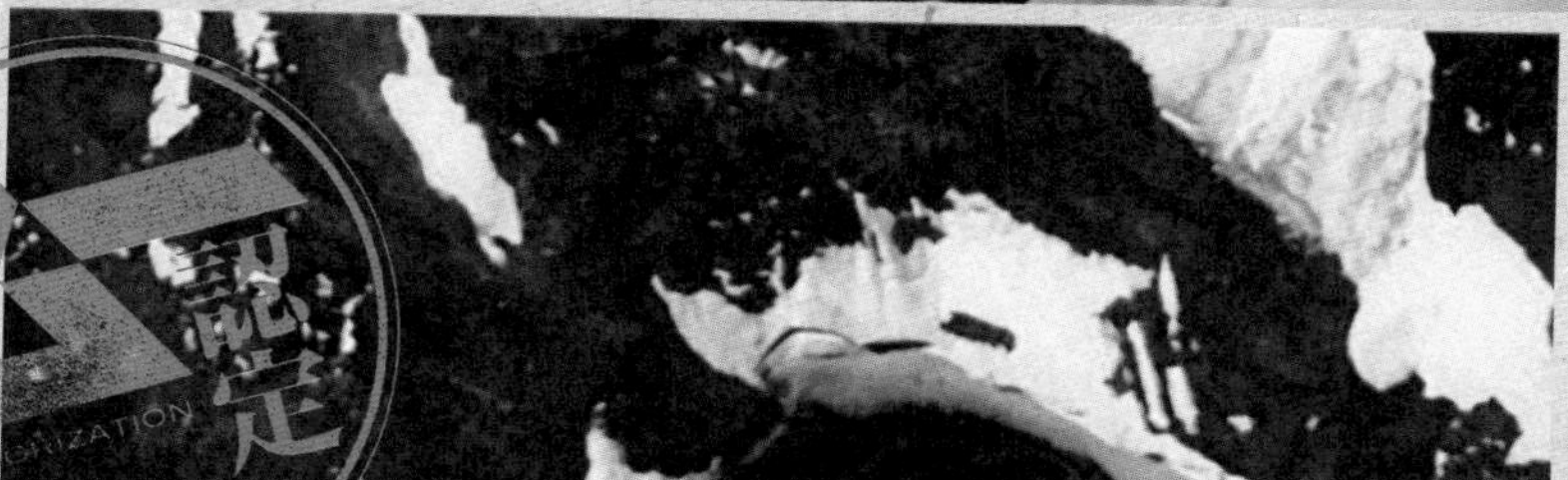

▲上：同じく南緯66度33分 6.30秒、東経99度50分24.84秒地点で発見された洞窟。こちらは幅約150メートル、高さ約37メートル。右の洞窟とつながっていると見られる。下：洞窟の拡大画像。

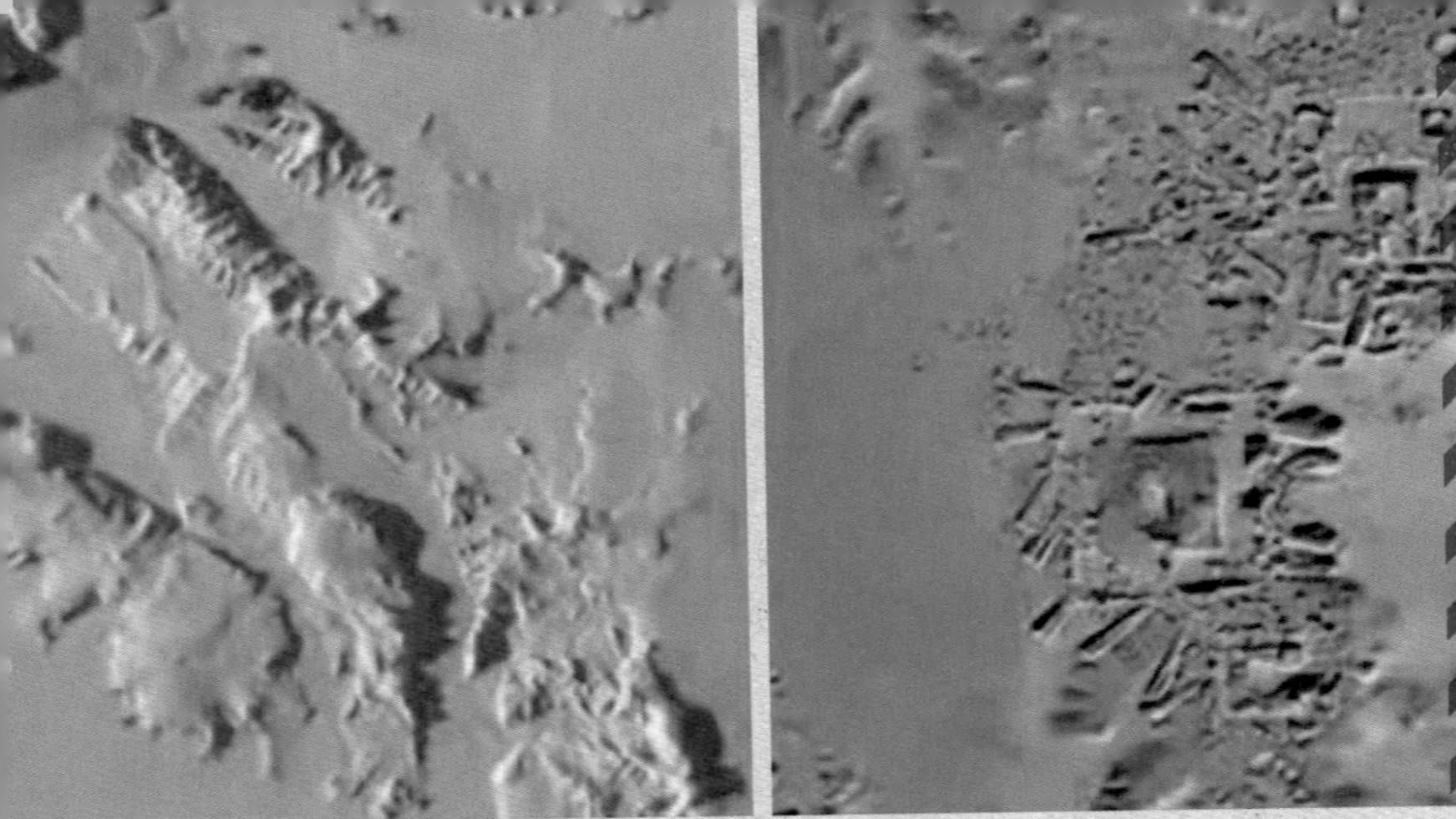

▲左右：ＮＡＳＡが行った南極の地中探査画像には、氷床下約２キロの位置に、ピラミッド状構造物と遺跡らしきものが捉えられている。

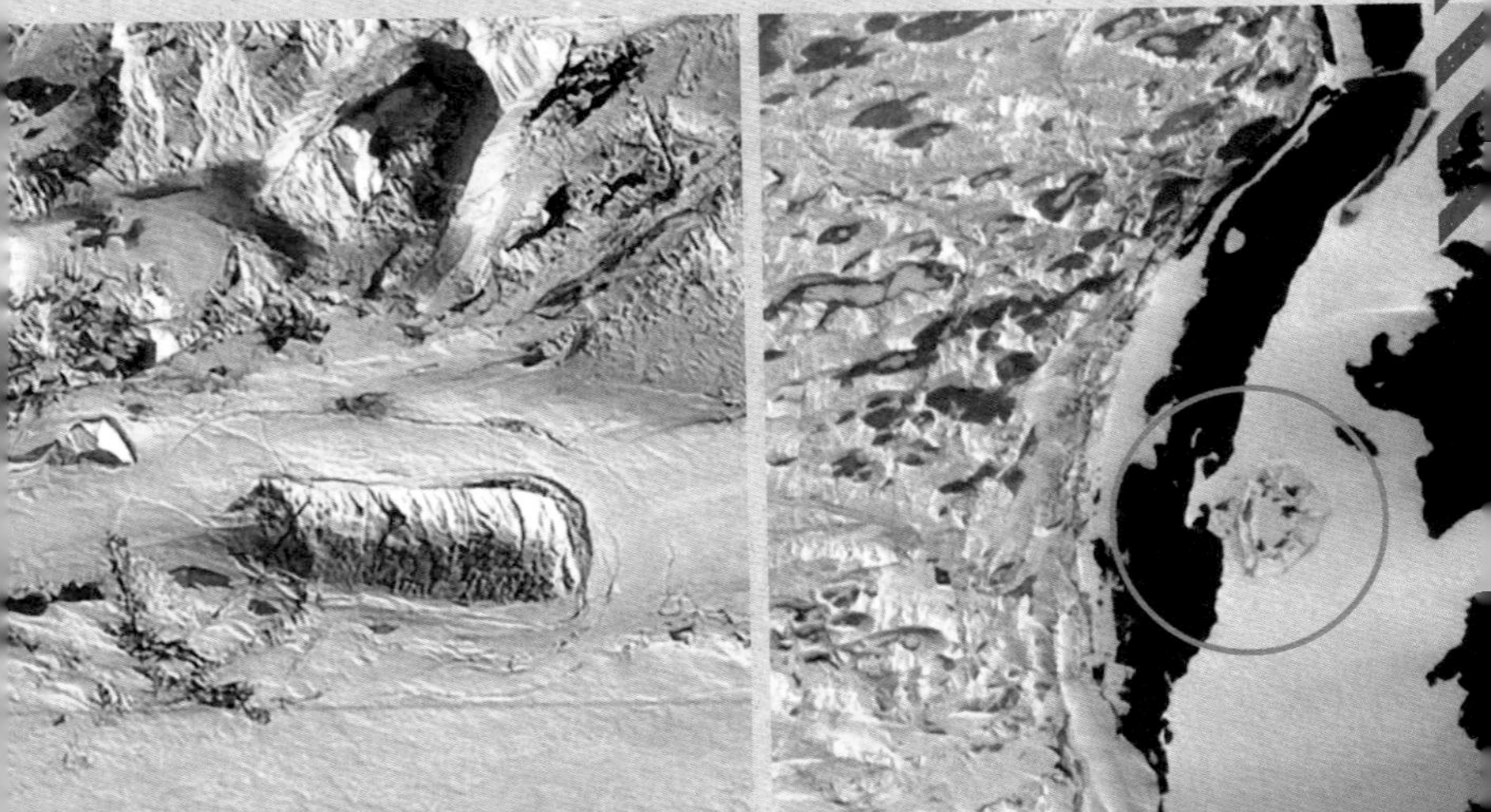

▲南極大陸にある、古代遺跡を思わせる地形。右：区画整理されたように見える地形（丸囲み）。周囲には似たような地形がないことから人工物と考えられる。左：横倒しの円筒状の構造物も見つかっている。

ム認定
AUTHORIZATION

▲2012年に発表され、大きな話題を呼んだ南極のピラミッド。アメリカを中心とした探検隊によって発見されたという。海岸から内陸に向かって16キロの地点にある。

地底王国アガルタ

驚異の地底世界の存在

No.000014

中央アジアのどこかに存在するといわれるのが、幻の地底王国「アガルタ」だ。その内部は複雑なトンネル状で、地球上の各地につながっているという。首都シャンバラは中央に金銀や宝石で飾られた宮殿があり、夢のような楽園だとか。宮殿の放つ水晶パワーに満ちたシャンバラは、慈愛と平和に包まれている。

アガルタはすべての面で地上世界を凌駕している。人々の知性は高く、寿命も長い。彼らは優れた精神文化を築き、超能力を身につけた。それはときに生物の運命を左右したり、未来の出来事を見通す力であったりする。科学技術も、地上の人間の想像もつかぬ技術を有していた。地底世界には人工太陽があり、アガルタのエネルギーとなっていた。

トンネルから地上に出るとき、人々は円盤形の飛行艇を駆使した。これらが地下の空洞から離発着するとき地上の人間に目撃され、UFOと騒がれもした。こうした空洞は、中国・チベット自治区や南アメリカのアンデス地方に多いという——。

なお、アガルタへの入り口は、チベット自治区の区都ラサにあるポタラ宮殿に存在するという。その入り口は、ラマ僧らによって厳重に管理されている。13階建てで部屋数1000を超し、ほとんど内部が公開されることのないこの超巨大宮殿には、アガルタにつながるといわれても不思議ではない雰囲気が漂う。

ちなみに、アガルタは20世紀初め、神秘主義者たちによって探索されている。ロシアの画家ニコライ・レーリッヒもそのひとりだ。彼は1925年から5年半にわたり、中央アジアを放浪、入り口は発見できなかったが、彼の旅日記や手記は、多くの探検家の情熱をかきたてた。

アガルタには、ナチス・ドイツも関心をもった。アドルフ・ヒトラーが探検隊を世界各地に派遣したという話は、よく知られている。

最近も2015年に、元CIA(アメリカ中央情報局)職員エドワード・スノーデンは、極秘情報として地底人の存在を示唆している。

▲地底王国アガルタへの入り口があるという、チベット自治区都ラサのポタラ宮。13階建てで部屋数は1000を超すというが、そのほとんどが未公開だ。
▶アガルタにもっとも近づいた男とも呼ばれる、神秘主義者ニコライ・レーリッヒ。

ム認定
AUTHORIZATION

日本の歴史を記した、その最古のものとされるのが『古事記』と『日本書紀』のいわゆる記紀である。神話を交えたものながら、それらは実際の歴史を背景に描かれ、あながち荒唐無稽なものとはいいきれない。

この、記紀に描写される歴史をさらに遡った、古い歴史を伝える文献が、実は存在している。『宮下文書』『竹内文書』などに代表される、古史古伝だ。そこには、数万年以上前からの歴史、すなわち日本の超古代文明が記録されているのだ。

古代文明

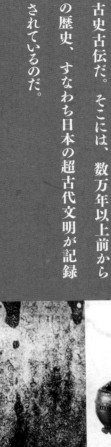

また、日本超古代文明を裏づけるかのような遺物・遺構や伝承が日本各地に残されている。それらは、ムーやアトランティスより以前の文明でもあり、まさに古史古伝の世界観でもある〝日本は世界の雛型〟を強く思わせるものだ。

こうした日本の超古代文明の痕跡や記録として「ムー」は、「富士王朝」、「アラハバキ文明」、「五色人文明」、「カタカナム文明」、「飛鳥の巨石文明」、「竹内文書」、「日本のピラミッド」の7つを認定する！

No.000015-No.000021

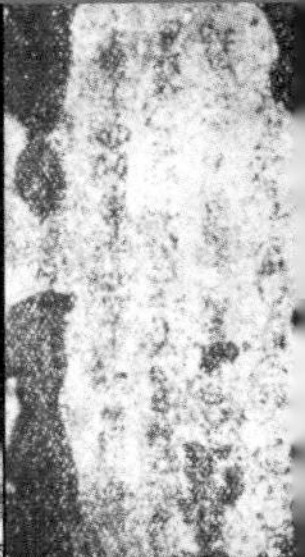

3章 日本の超

No.000015

富士王朝

『宮下文書』に記された富士山麓の王朝

山梨県富士吉田市大明見の旧家、宮下家に伝わる古記録・古文書の『宮下文書』。別名『富士古文書』『富士古文献』とも呼ばれ、これらは、かつてこの地にあった「富士王朝」について書かれたものという。

約2300年前、中国・秦の時代、始皇帝に命じられて不老不死の妙薬を求め、方士・徐福が一族約500人を連れ、目的地の蓬莱山である日本の富士山麓を訪れた。そこで日本最古とされる神社、不二阿祖山太神宮に伝わる神代文字で書かれた記録を発見し、漢字で編纂した。これが『宮下文書』である。

ちなみに、現存する『宮下文書』の写本は江戸末期に成立し、漢語と万葉仮名が併用されている。大正時代にはこれを元にした『神皇紀』（美輪義熙著）も成立している。『神皇紀』には、近年になって初めて科学的に解明された、富士五湖が1000年前にはふたつの湖だった事実なども記されている。

では、富士王朝とはどんな王朝だったのか？ それは神武天皇の時代よりはるか以前から富士山麓に存在した、超古代王朝だという。日本民族の発祥地は、メソポタミア（現在のイラク）もしくはペルシア東北部（現在のイラン）で、約7000年前に日本に移住した人々が富士山麓に不二阿祖山太神宮を中心とした壮麗な帝都を築き、高い文明を誇ったというのである。

この都にはアマテラスやスサノオらの神々も住み、神武天皇以前から存在したとされる歴代の天皇も、すべてこの地で即位した。人々は、

▲富士山麓に鎮座する、日本最古とされる神社、不二阿祖山太神宮。超古代の荘厳な神宮を再興したものだという。

驚異の熱伝導性をもつ「ヒヒイロカネ」と呼ばれる金属を使い、若さを取り戻す方法を知り、また、空飛ぶ船や優れた通信手段など、現代よりはるかに優れた文明を享受していたという。

だが、富士王朝は富士山の度重なる噴火によって滅びた。噴火口から流れ出る溶岩が王都を埋めつくし、そこにやがて植物が生え、現在の青木ヶ原樹海となった。堆積した溶岩のため、金属探知機なども使用できないこの地に、富士王朝の痕跡を捜すことはできない。

ム認定
AUTHORIZATION

▲富士北麓の明見湖近くに立つ徐福像。彼は一族を率いて富士山麓の不二阿祖山太神宮を訪れ、神代文字で書かれた『宮下文書』の原典を発見した。

▲富士山北麓の中心都市、富士吉田の金鳥居から望む富士山。この地に超古代文明、富士王朝が存在していたのだろうか。

▶不二阿祖山太神宮から北東へ車で30分ほど行った場所に太神社という小さな社がある。その参道の石碑には、「太神宮」の文字。これは阿祖山太神宮の末社だったことを示すものなのだろうか。

ム認定
AUTHORIZATION

亀ヶ岡アラハバキ文明

No.000016

異星人を神に据えた文明

『東日流《つがる》外《そと》三《さん》郡《ぐん》誌《し》』と銘打たれた古史古伝がある。同書の真偽は不明だが、通説では江戸時代後期に秋田孝季、和田長三郎という学者が、津軽藩（現・青森県）によって抹消された津軽の古代史を後世に語り伝えるために書いたものだという。ふたりが諸国を巡脚して調べた古文書や伝説、覚え語りなどが収録された、約300巻から成る大冊である。

同書によれば、津軽の歴史は古く紀元前約6000年まで遡る。山間部に住む穏やかな阿曾部《あそべ》族と海岸部に住む気性の荒い津保化《つぼけ》族という、ふたつの部族がいたとされ、阿曾部族は大地震や津保化族の侵略などで滅びた。紀元前1000年ごろ、九州に降臨した天孫族が神武天皇に率いられ、現在の奈良県にあった大和国を征服した。このときの大和族の長・ナガスネヒコは大和族を率いて津軽に落ちのびた。そして、先住民族であった津保化族と交わり、東北一円を支配するアラハバキ王国を築いたのである。

同王国は、古代において東北は畿内や九州よりも先進地帯で、独自の文字をもち、大陸とも交易し、非常に栄えていた。一時は畿内まで攻めのぼり、皇位を奪ったこともあったらしい。だが、岩木山の噴火などで衰退し、滅びたという。

なお、アラハバキとは同書に登場する神の名であり、現在では民間伝承の神として伝わっている。今なお、全国各地にその名を冠した神社も存在する。

なお、『東日流外三郡誌』にはアラハバキの図も掲示されているが、それがまさしく、青森県・亀ヶ岡などの縄文遺跡で発掘されたことで知られる遮光器土偶なのである。その姿は、NASA（アメリカ航空宇宙局）が参考にしたといわれるほど、宇宙服そっくりの衣服を着てゴーグルをかけた人のようだ。そのため、太古に地球を訪れた異星人ではないか、との説が取りざたされている。アラハバキ——異星人を神に据えたアラハバキ王国は、本当に東北地方に実在したのだろうか？

▲アラハバキ王国の民たちの神「アラハバキ」の姿は、亀ヶ岡縄文遺跡から発掘された遮光器土偶にそっくりだった。この地における神は異星人だったのか!?

五色人文明

幣立神宮に伝わるもうひとつの高天原神話

No.000017

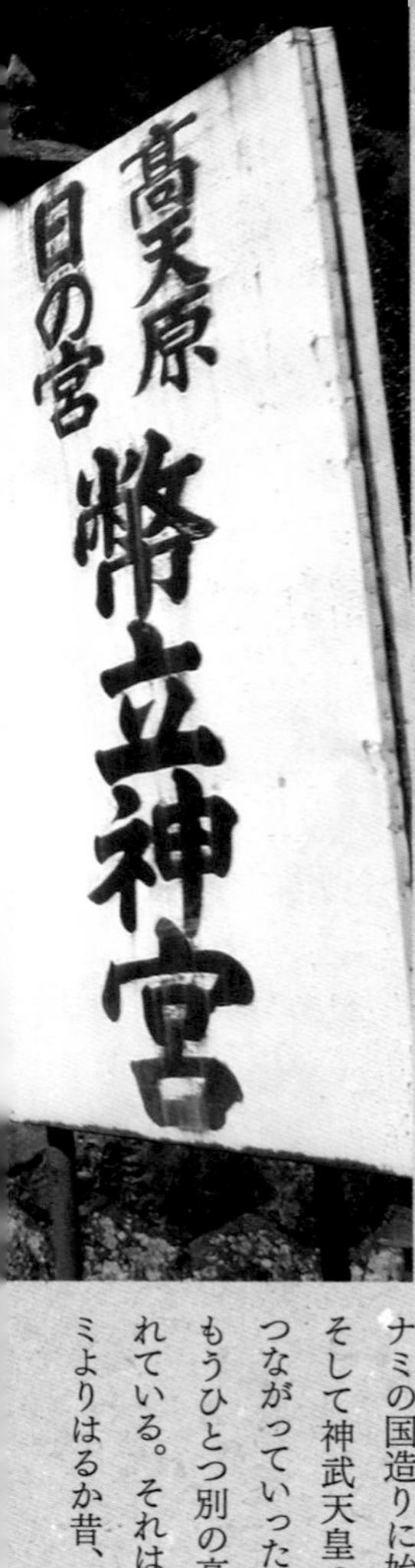

熊本県上益城郡山都町の「幣立神宮」には、「五色神面」と呼ばれる木製の彫像面がある。社宝として奉納されているこの面は、世界の人類の祖神を象ったものという。

幣立神宮では、5年に一度「五色人祭」という祭りが開かれる。同神宮の秘宝である五色神面は、このときしか見ることができない。この祭は一時期途絶えていたが、1995年に再開され、近年では2015年夏に開催された。

それにしても「五色人」とは何なのか？　実は『古事記』や『日本書紀』より古いとされる史書『竹内文書』（後述）によると——かつて世界には「赤人」「青人」「黄人」「白人」「黒人」の5つの根源的人種があった。それらは現在の「黄色人種」や「白人種」とは必ずしも一致せず、大まかに次のように分けられていた。

赤人はユダヤ人やネイティブ・アメリカン、アラブ人など。青人は北欧人やスラブ人など。黄人は日本人、中国人、朝鮮人などのアジアモンゴロイド系民族。白人はヨーロッパのコーカソイド民族など。黒人はインド人、アフリカ人、パプアニューギニアやメラネシアの人々など。なお、黄人は五色人の大本であり、中でも日本人は、これらを超越する「黄金人」の末裔であるともされる。

実は、記紀ではイザナギとイザナミの国造りに始まり、天孫降臨、そして神武天皇の即位……と話はつながっていったが、幣立神宮にはもうひとつ別の高天原神話が残されている。それはイザナギ、イザナミよりはるか昔、カムロギ命、カム

▲五色人伝説が伝わる、熊本県の幣立神宮。同神宮の創建は神代まで遡り、境内にあるヒノキの御神木の命脈は１万5000年を数えるとされる。

ロミ命と称する2体の神々が、火の玉（宇宙船?）に乗って、この地に降臨したというものだ。そして大本の人類である黄人＝日本人を生みだし、彼らが世界各地に広がって、その地の風土や気候などの影響を受けて、赤や青、白、黒の人々へと派生したという。

つまり、日本は人類発祥の地であったというわけだ。なお、伝説によると、神々（すなわち異星人?）は山形県と宮城県の県境にある蔵王の火口湖＝御釜（別名：五色沼）で、人類を創世したとされる。

ム認定
AUTHORIZATION

▲古史古伝『竹内文書』の神代世界の地図には、五色人の記述もみられる（写真＝八幡書店）。

▲幣立神宮に奉納されている五色神面。上段：右が黄人、中央が白人、左が黒人、下段：右が赤人、左が青人。

No.000018

カタカムナ文明

古代六甲山に栄えた宇宙哲学文明

『カタカムナ文献』と呼ばれる古文書がある。物理学者にして電気技師の楢崎皐月が入手したものとされ、その経緯は次のようなものだ。

1949年、彼は兵庫県六甲山系の金鳥山中で大地の電位測定中、カタカムナ神社という古い神社の宮司の末裔と称する老人・平十字《ひらとうじ》と出会った。そして、同神社の御神体とされる巻物を見せられ、内容を書き写すことを許されたのだ。

巻物には奇妙な渦巻と直線で、文字とも図形ともつかないものが描かれていた。以来、楢崎はこの図形文字＝カタカムナ文字の解読を『古事記』や『日本書紀』を参考に、5年にわたって続けた。そして同文献が、2万～3万年前の六甲山系に栄えた「カタカムナ文明」が培った高度な超古代科学や独自の哲学体系などを後世に伝えた奥義書であることを突きとめたのだ。

では、それはいったいどんなものだったのか？　たとえば、同文明における宇宙論は次のようなものだ。まず、われわれの住む3次元の物質宇宙があり、その背後にはより高次元宇宙が存在しているという。そして、3次元物質宇宙は、その高次元宇宙のホログラフィー（投影像）なのだと。生命に関しても同様で、起源はわれわれが住む宇宙ではなく、より高次元の宇宙にあるという。正確には、高次元宇宙にあらゆる生命の原版があり、われわれの宇宙の生命はそれらが投影されているにすぎないというのである……。

この、哲学的といってもいい宇宙論をもつカタカムナ文明。平老人によると、同文明の最後の指導者が籠った城は金鳥山付近にあった。そして、天孫族との戦いに敗れた彼は九州に流されて命を落とし、カタカムナ文明は滅亡したという。

――とはいえ残念なことに、カタカムナ文明の存在を示す証拠となるものは、楢崎の写本しかない。現時点では遺構はもちろん、カタカムナ神社や巻物の所在も不明であり、まさしく「謎の文明」としかいいようがないのである。

▲六甲山。この地に2～3万年前に、謎の文明カタカムナが栄えていたといわれる。
▶カタカムナ神社の御神体である巻物に記されていたカタカムナ文字。

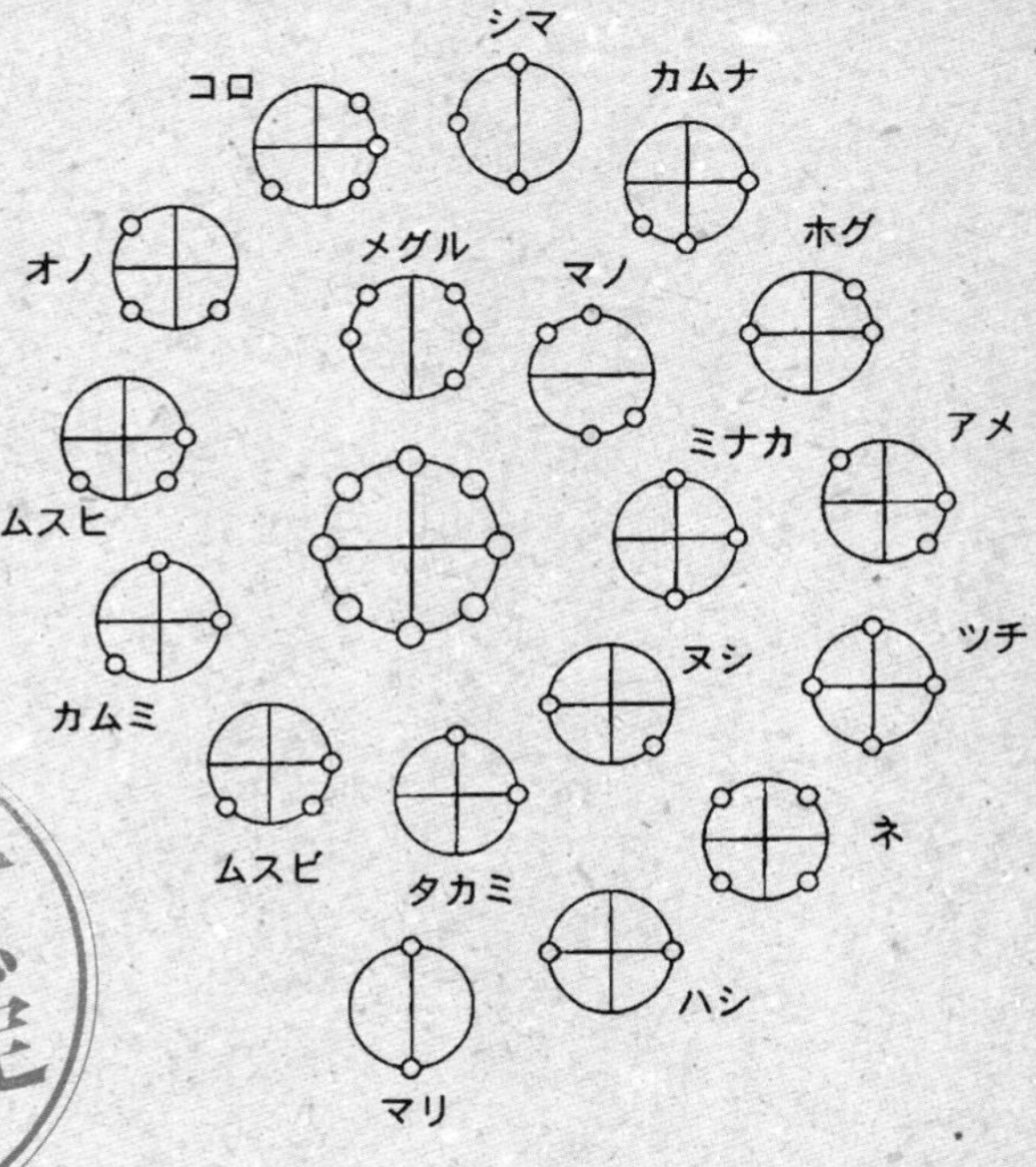

飛鳥の巨石文明

目的不明の巨石群

No.000019

奈良県高市郡明日香村とその周辺地区に残る、いわゆる「飛鳥の石造物」は、6世紀末から7世紀前半にかけて栄えた飛鳥時代に石で造られたとされる、遺物や遺構だ。人物像は当時の日本文化などに照らそうとしても異形としか思えないものが多い。また、用途が明確でないものが少なくない。

たとえば、明日香村に隣接する橿原市にある「益田岩船《ますだのいわふね》」。実に11×8×6メートル、重量900トンにおよぶ巨石で、上面に2個の方形の穴が穿たれている。しかも、この巨石は岩船山の標高約130メートル地点にあり、他で製作して運搬されてきたらしい。ただし、この遺構は製作地、製作者、使用目的などいっさい不明である。

さらには明日香村の石舞台古墳。7世紀初頭に造られたとされる横穴式石室で、被葬者は蘇我馬子が有力視されている。玄室は長さ約7・7メートル、幅約3・5メートル、高さ約4・7メートル、玄室に至る通路は長さ約11メートル、幅2・5メートル。こちらは約30個の巨石が使われ、使用されている石の総重量約2300トンにおよぶ。

同じく明日香村の酒船石《さかふねいし》も奇妙な石造物である。大きさは5・5×2・3×1メートル。上面に皿状のいくつかのくぼみとそれを結ぶ溝が刻まれている。使用目的は酒造または製薬用とされるが、定説はない。ちなみに近年、酒船石周辺から亀型石造物などの遺物も発見されたため、これらを総称して「酒船石遺跡」と呼ばれる。

▲飛鳥時代に建造されたとされる石造物のなかでも日本最大級の益田岩船。だれが何の目的でどこから運んできたのか、いっさいが不明である。

ここで紹介したのは、明日香村とその周辺で発見された、不可思議な石造物のごくごく一部である。いずれも、現代から見てもかなり高度な建造・運搬法が用いられている。それゆえ、これらの異質な外見を呈する石造物の成因に、宇宙考古学の研究者たちが持論を展開している。すなわち太古、地球を訪れた異星人が造りあげたのだと。

だとすれば、かつてはこの地域一帯に、「飛鳥の巨石文明」とでもよぶべき超古代文明が構築されていたのかもしれない。

ム認定
AUTHORIZATION

▲▶上：謎の溝が刻まれた酒船石。製薬用の道具だったという説もある。右：近年、周辺で亀型石造物も見つかったことから、酒船石とこれら遺跡とで連携して使用したものとの説も提唱されている。

ム認定
AUTHORIZATION

▲上：天を仰ぐ人の寝姿にも似た石舞台古墳は、蘇我馬子の墓だと考えられている。右：吉備姫皇女王墓内にある奇石、猿石は全部で4体ある。猿ではなく渡来人を象ったものとみられ、一説にはペルシア人ではないか、ともいわれている。左：亀石。これもまた明日香村にある謎の石造物のひとつ。

竹内文書

日本の超古代文明を伝える古史古伝

茨城県北茨城市磯原町の竹内家に伝わる数々の古文書類。総称して『竹内文書』と呼ばれるこれらを、1892年に祖父から譲り受けたのが竹内巨麿《たけうちきよまろ》である。巨麿はその後、さまざまな宗教体験を経て、1911年、磯原町に皇祖皇太宮神宮を設立。自ら興した天津教の布教に努めるとともに、文書の整理と研究を開始した。そして、その成果を徐々に公開していった。

同書が成立したのは約2000年前。だが約1500年前に、神代文字で書かれていた文書を、雄略・清寧・顕宗・仁賢の4天皇に仕えた大臣・平群真鳥《へぐりのまとり》が漢字・仮名に翻訳したとされる。竹内家はこの平群真鳥の系譜に連なるという。

では『竹内文書』の内容について、ごく一部を紹介しよう。

——宇宙が誕生したといわれる150億年以上前、日本列島に異星人が飛来した。そして天皇となり、全世界を支配することになった。彼らは、現在の富山市に皇祖皇太神宮という壮大な宇宙神宮を造営し、世界各地にピラミッドを建設して、祭政一致の政治を行った。この、日本を中心としたきわめて高度な超文明が栄えた古代世界には、最先端の科学技術が備わっていた。たとえば「天浮船」という、大気圏外にまで飛翔できる超高速の飛行船や、永久に錆びない超合金「ヒヒイロカネ」などを駆使していたのである。

だが、超文明は度重なる天変地異のために疲弊し、滅亡した。残されたのは栄光のみであった。

その栄光は平群家や、その末裔

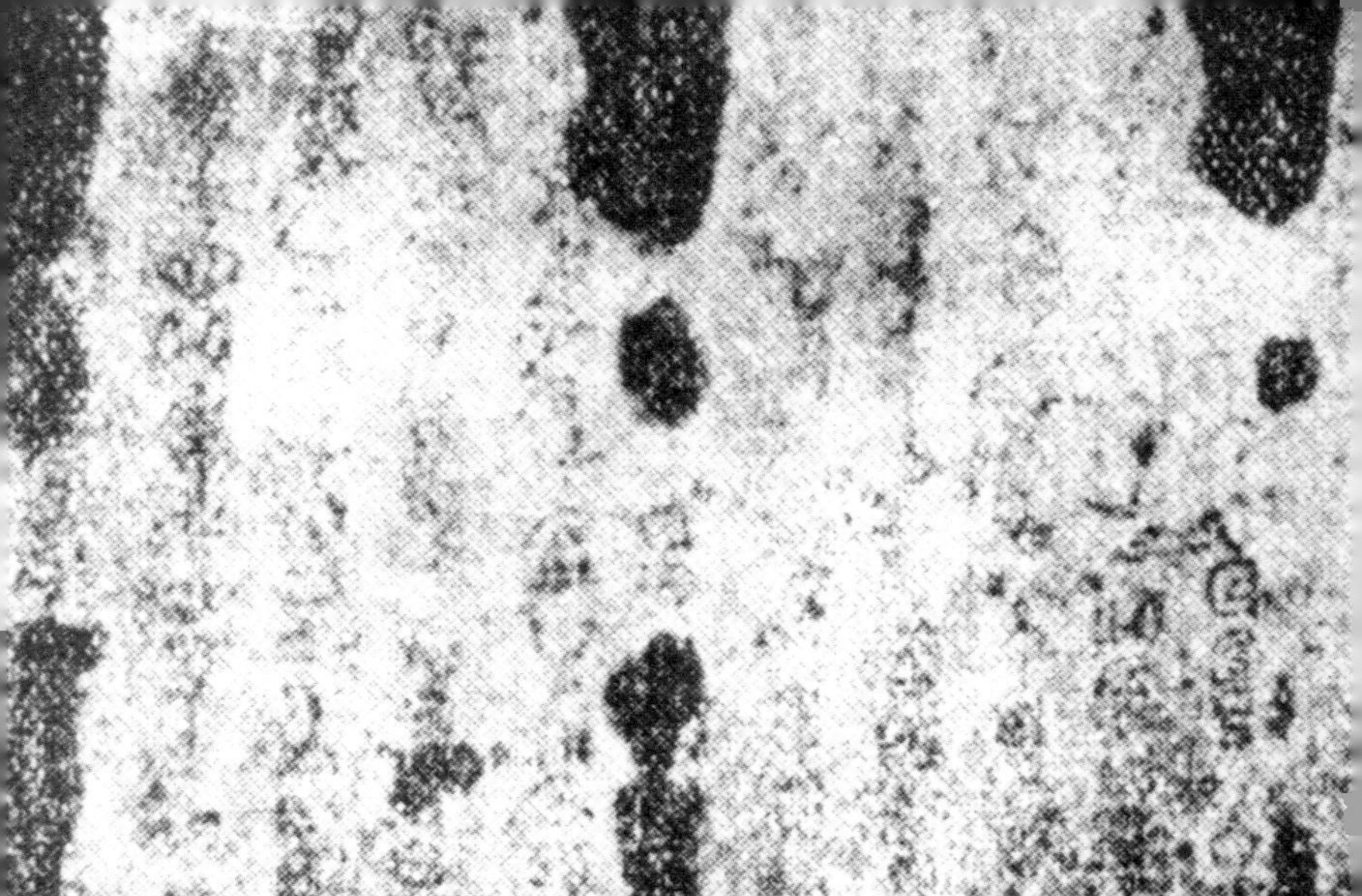

▲古史古伝のひとつ、竹内家に伝わってきた『竹内文書』の一部（写真＝八幡書店）。

の皇祖皇太神宮の神官であった竹内家に伝えられていく。また、栄光の輝きに惹かれ、モーセや釈迦、イエスなど、世界の聖人と呼ばれる人々が日本にやってきたという。

『竹内文書』の記す皇統譜は、想像を絶する時空を経て神武天皇、そして天皇家につながる。そのあまりに衝撃的な内容に、これを偽書、創作の類いとする説が一般的だ。現在、竹内家には文書の写本とともに、多くの超古代文明由来とされる神器が伝わる。ただし、これらの真贋は現時点では判明していない。

▶上：「開かずの瓶」の中に、『竹内文書』が保管されていた。下：『竹内文書』は神代文字で記されている。その内容は正史としてわれわれが知るものとはかけ離れた驚愕すべきものだ（写真上下＝八幡書店）。

▲▶『竹内文書』とともに竹内家に伝わる、超古代文明由来とされる数々の神器。上：神剣。右：神鏡（写真上右＝八幡書店）。

ム認定
AUTHORIZATION

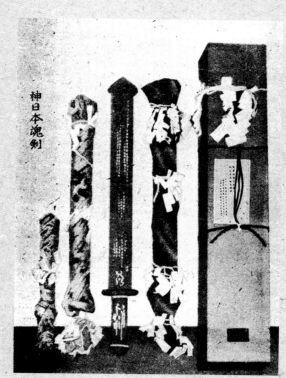

日本のピラミッド

四角錐建築の真の源流

No.0000021

日本には、人の手が加わった「ピラミッド」とされる山が数多くある。

たとえば、秋田県鹿角市の黒又山だ。１９９２年、標高２８０・６メートルのこの山に学術調査が入った。その結果、地中のレーダー調査で、全山が7～10層の階段ピラミッドに似た人工建造物であるらしいことがわかったのだ。しかも山頂からはメンヒル（立石）や祭祀用の縄文土器なども多数発見されている。

さらに、山頂の地下約10メートル付近に、一辺約10メートルの謎の空間があることも判明している。黒又山は、もとになる基底部分こそ自然の山だが、地下や表面に人の手が加えられているのだ。江戸時代からたびたび発光現象が起きていることも、黒又山がミステリースポットたる要素だ。

長野県長野市松代町の皆神山もまた、ピラミッド説が根強い。標高６７９メートルと６４２メートルのふたつの峰に分かれたこの山も、黒又山に劣らず謎が多い。たとえば、１９６５～１９７１年の松代群発地震は、震源がすべて皆神山の直下だった。しかも、その後の地質調査で、山の中心部の重力が周囲よりやや弱いことも判明した。

また、地下に巨大な空間があり、山がひしゃげたように見えるのは、この空間がつぶれたせいだという説もある。周辺でのＵＦＯや発光体の目撃情報も多い。実際にピラミッドだったかどうかはともかく、皆神山が奇妙な山なのは確かなようだ。

さらに、広島県庄原市の葦嶽山。１９３２年、標高８１５メートルの

この山について、神秘主義者の酒井勝軍が「葦嶽山は約2万3000年前に造られた最古のピラミッドで、世界各地のピラミッドのルーツとなった」と主張したのだ。

地元では神武天皇陵として伝えられてきたこの葦嶽山には、確かに中腹から山頂付近にかけて、岩を人工的に積み上げたような形跡がある。酒井によれば、山や丘など自然の地形を生かしつつ、部分的に人の手を入れたものもピラミッドなのだ。もしそれが真実なら、だれが、何のために造ったのだろうか？

▲昔から黒又山では謎の発光現象の出現などが起きていたことが伝えられている。これもピラミッドゆえのミステリー現象なのか？

▲上：秋田県鹿角市の黒又山。その形状からも、まるでピラミッドを彷彿とさせる。下：黒又山への入り口。

▲ピラミッド説も根強く、またミステリー現象の多発地帯でもある、長野県長野市の皆神山。

◀建造年代は２万3000年前、世界最古のピラミッドともいわれる広島県庄原市の葦嶽山。

ム 認定 AUTHORIZATION

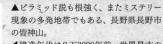

神が人類にもたらす奇跡の数々――旧約、新約に限らず、『聖書』には実にさまざまな不思議な出来事、現象が綴られている。もちろん、『聖書』を絶対的なものと考える人々ではないかぎり、その記述は伝説だと解釈して受け入れているだろう。

だが、『聖書』に描かれた奇跡の数々が、実は〝現実に起きたこと〟という可能性が非常に高いのをご存じだろうか？

『聖書』の奇跡が事実だとは、にわかには信じ難いかもしれない。だが、そこに地球

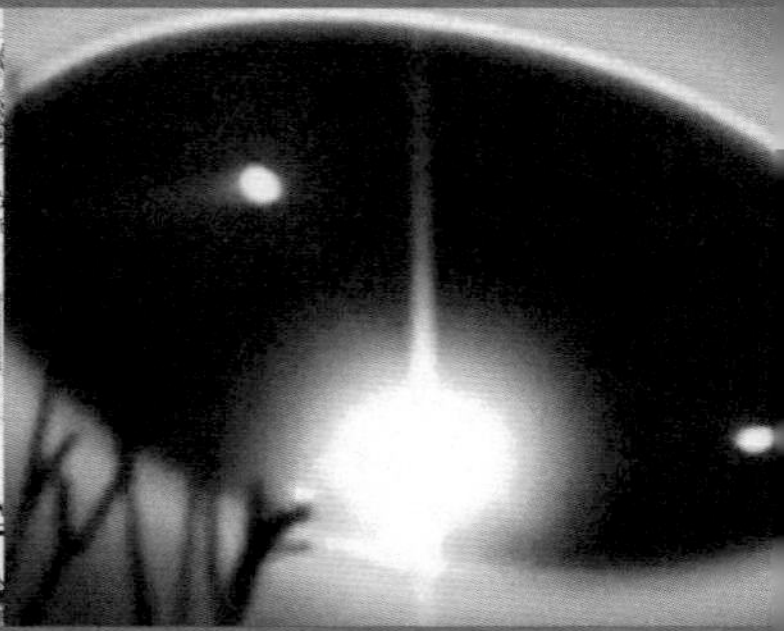

七不思議

外の文明がからんでいたとすれば、われわれの常識など脆く崩れ去る。〝彼ら〟のテクノロジーなら、「不思議」も「可能」になる。

ここで「ムー」が『聖書』の七不思議として認定する、「エルサレム神殿」、「ゴルゴタの丘」、「シナイ山」、「アーク」、「死海文書」、「アララト山のノアの箱舟」、「メギド」……

そのいずれもが、『聖書』の奇跡に何らかの関わりをもつ物、場所、出来事である。いずれもその背後には超テクノロジーを有する異星人の存在が感じられる。

No.000022-No.000028

4章 『聖書』の

エルサレム神殿

破壊されては甦る聖地

No.000022

紀元前11世紀ごろ建国したイスラエル王国（ヘブライ王国）は、ダビデとその息子ソロモンが王の時代、最盛期を迎えた。とくに、神から知恵の指輪または叡智の書を授かったソロモンは偉大な魔法使いで、天使や悪魔を使役したという。

このふたりの王が紀元前963年、ユダヤ教の礼拝の中心地として、そして唯一神ヤハウェの至聖所として、首都エルサレムのモリヤ山に建造したのが、「エルサレム神殿（ソロモン神殿）」である。神殿の大きさは26・4×8・8平方メートル、高さ約13・2メートル。奥に至聖所があり、内部はすべて純金で覆われていたという。

だが王国はソロモンの死後、紀元前926年にイスラエル王国とユダ王国に分裂。やがてイスラエル王国はアッシリアに、ユダ王国は新バビロニアに滅ぼされた。そして、エルサレム神殿＝第1神殿は跡形もなく破壊されたのである。

紀元前517年、アケメネス朝ペルシアによるバビロン捕囚から解放されたユダヤの人々は第2神殿を同地に再建し、紀元前19年にはローマ帝国のヘロデ大王がこれを改修した。ところがこれも70年のユダヤ戦争時、ローマ軍に破壊されてしまう。7世紀末以降、神殿跡にはイスラム教の施設「岩のドーム」が建てられ、第2神殿の痕跡はテラスと西壁の一部が残るのみ。後者はユダヤの人々が祈りを捧げる「嘆きの壁」として知られている。

そして1989年。イスラエル政府は「神殿調査協議会」を正式に設け、第3神殿建設の準備に国家として動きだした。

そして2011年1月、岩のドーム真上に、白い発光UFOが出現する驚愕事件が起きている。UFOはその後、上空に飛び立ち姿を消したという。一部の研究者は、この現象を「ここに第3神殿を造れ」という神の啓示だというが、そのためにはイスラム教の聖地を破壊しなければならない。近い将来、この地で、「何か」が起こるのかもしれない。

▲▶上：エルサレム第２神殿の痕跡。写真左奥に見えるのが神殿跡に建つ「岩のドーム」。下右：第２神殿の西壁の一部である「嘆きの壁」。下左：70年のユダヤ戦争時に破壊される第２神殿。

▲上：エルサレム第1神殿。26.4×8.8メートル、高さ約13.2メートルの大きさで、内部は黄金で飾られていた。下：エルサレム第3神殿の模型。建造されればこのような形になるのかもしれない。

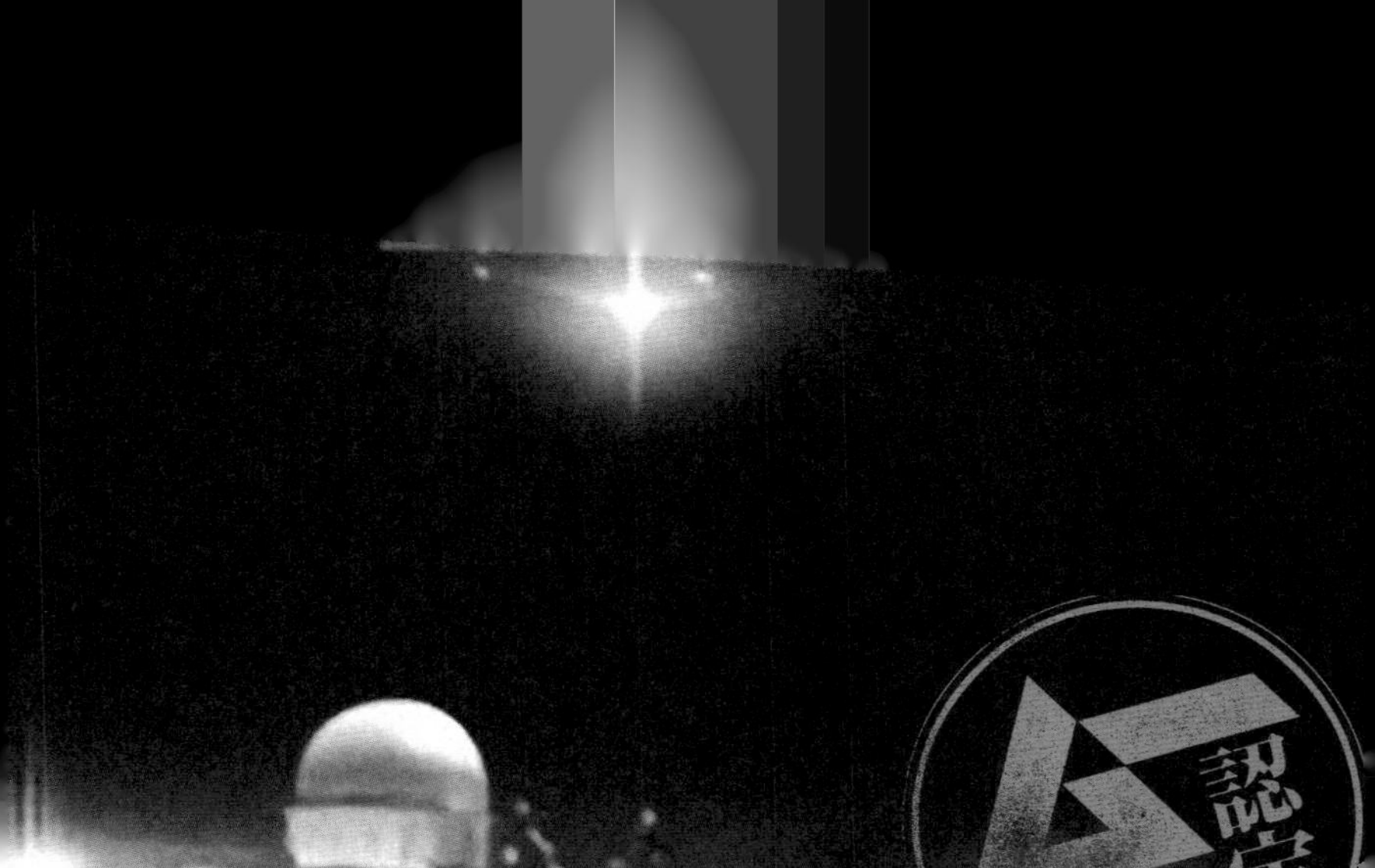

▲上下：2011年１月28日、岩のドームの真上に、白く発光したＵＦＯが出現するという事件が起きた。これは「この地に第３神殿を造れ」という神の啓示なのだろうか。

ゴルゴタの丘

イエス最大の奇跡の鍵が眠る場所

No.000023

イエス・キリストは西暦30年（33年という説も）にエルサレム、ゴルゴタの丘で磔刑に処せられたが、その3日後、墓の中で復活・昇天した。

だが、この逸話は多くの謎を含んでいる。たとえば、ゴルゴタの丘の場所はいまだに特定されていない。したがって処刑地の近くとされた墓の場所も同様だ。現在、ゴルゴタの丘は、磔刑に使われたとされる十字架や釘などの聖遺物が発見された場所に比定され、そこに聖墳墓教会が建てられているが……。

さらには『新約聖書』によると、復活の現場を目撃した人物はだれひとりいない。信者たちが墓の様子を見にいくと、中は空でイエスの遺体は消えていたのだ。そして天使らしき青年が、その復活を告げた。イエスが弟子や信者の前に姿を現したのは、そのしばらく後のことだ。

また、『新約聖書』にはイエスの奇跡の数々がみられる。不治の病を治し、目の見えない人に光を与え、7つのパンと魚を飢えた4000人もの群衆に分け与えた。水をワインに変え、水上を歩いた。

そんな奇跡の数々から、一部の研究者からは「イエス＝異星人説」が飛びだしている。事実、ソ連（現ロシア）の科学ジャーナリスト、アチエラフ・ザイツェフはユーゴスラビア（現コソボ）のデチャニ修道院で発見された〝キリスト復活〟の聖画の中になんとロケット状の乗り物が描かれていると指摘する。同修道院にはまた、宇宙船まがいの物体が人間を乗せて飛ぶ光景を描いたフレスコ画も残されている。

ちなみに、アメリカの数理学者モリス・ジェサップは1956年発行の著書『聖書とUFO』の中で、イエスは〝神＝地球外知的生命体〟から派遣された使節だったのではないかという。

〝神の子イエス〟が異星人ならば、数々の奇跡も納得がいく。〝復活〟も異星人のテクノロジーなら、たやすいだろう。ゴルゴタの丘や復活の場所が特定できれば、その謎が解けるかもしれない。

▲▶上：コソボのデチャニ修道院にある〝キリスト磔刑〟を描いた壁画。その左右上端には、宇宙船のようなものに乗る人物が描かれている（中下はその拡大）。

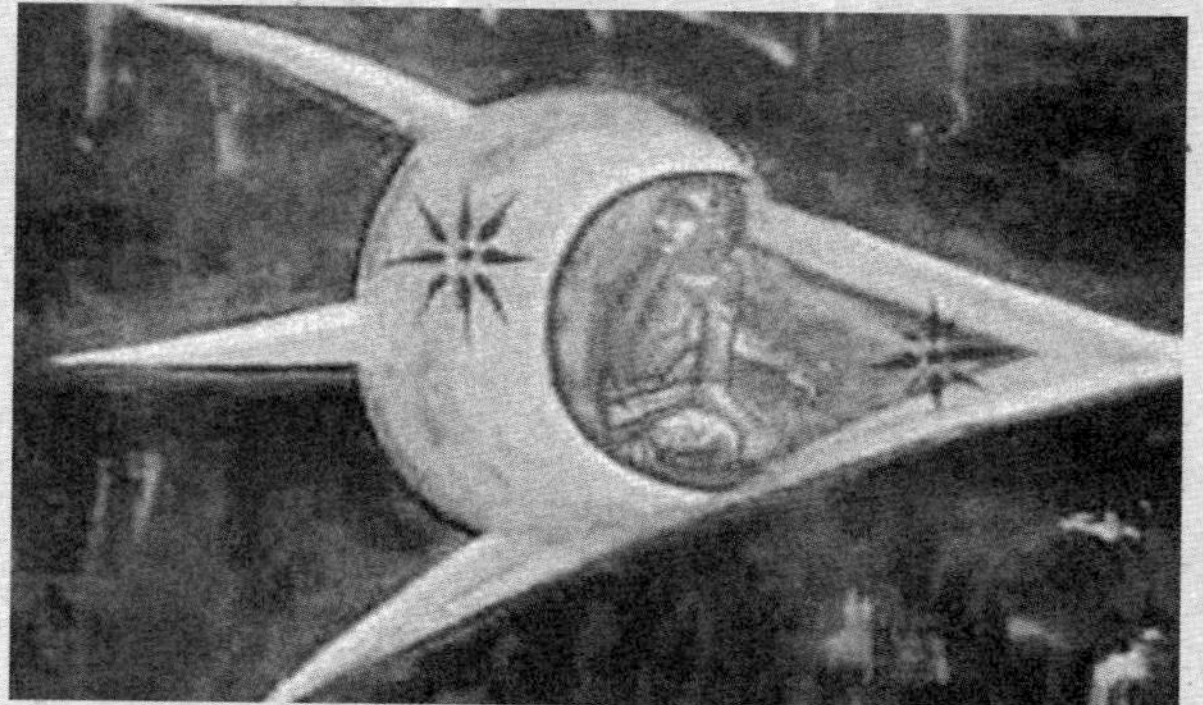

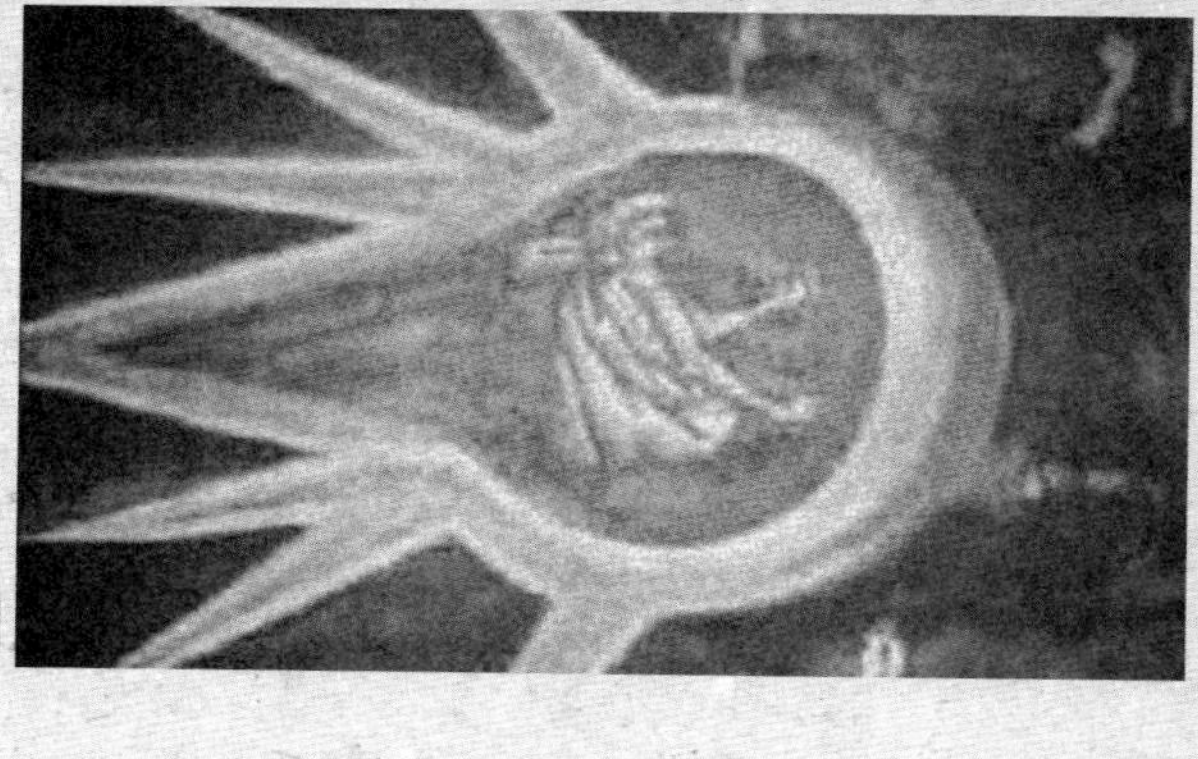

No.000024

シナイ山

モーセに奇跡をもたらした異星人の基地

エジプト、シナイ半島にあるシナイ山は標高2285メートル。『旧約聖書』「出エジプト記」によると、ヘブライの指導者モーセが、唯一神ヤハウェから「十戒」を授けられた聖山だ。

十戒とは神から授けられた10の戒律。2枚の石板に刻まれたこの戒律を守れば、ヘブライの人々は神による庇護の下に生きていけるのだ。

──紀元前13世紀、モーセはエジプトで奴隷状態にあったヘブライ人たちを引き連れ、「約束の地カナン（現在のパレスチナ付近）」を目指して同国を脱出した。そのために、神はモーセ一行の出国のためエジプトに多くの災いを引き起こした。たとえばナイル川の水を血に変え、疫病を発生させた。その反面、ヘブライ人たちには奇跡を見せた。昼は雲の柱、夜は火の柱を立てて彼らを導いた。進路を阻む紅海をふたつに割って人々を通らせた。天から食料を降らせた。途中、モーセたちがシナイ山に寄ったのは、神の啓示があったからだ。モーセはこのとき一行を麓で待たせ、2回にわたって山に登り、それぞれ40日間ずつ過ごしている。

実は、このように数々の奇跡を見せた神＝ヤハウェの正体に、異星人説が持ち上がっている。そして、この説を唱える研究者は、山頂にUFO基地があった可能性についても示唆している。というのも、標高2000メートルを超える山の自然は寒く、過酷だ。モーセが40日間も何のサポートもなく過ごせたはずがない。彼は何ものかに庇護されていたに違いないと……。

さらなる謎もある。モーセを描いた絵画や彫像に、頭に2本の角のようなものを戴いたものが多いことだ。研究者はこの角はヤハウェ＝異星人から与えられたアンテナであり、これを通じてモーセは異星人たちと交信していたというのだ。「まさか」とは思いつつ、これまた一概には否定できない説ではある。もしかすると、シナイ山を発掘すれば、かつて地球を訪れた異星人の基地の遺跡が発見できるかもしれない。

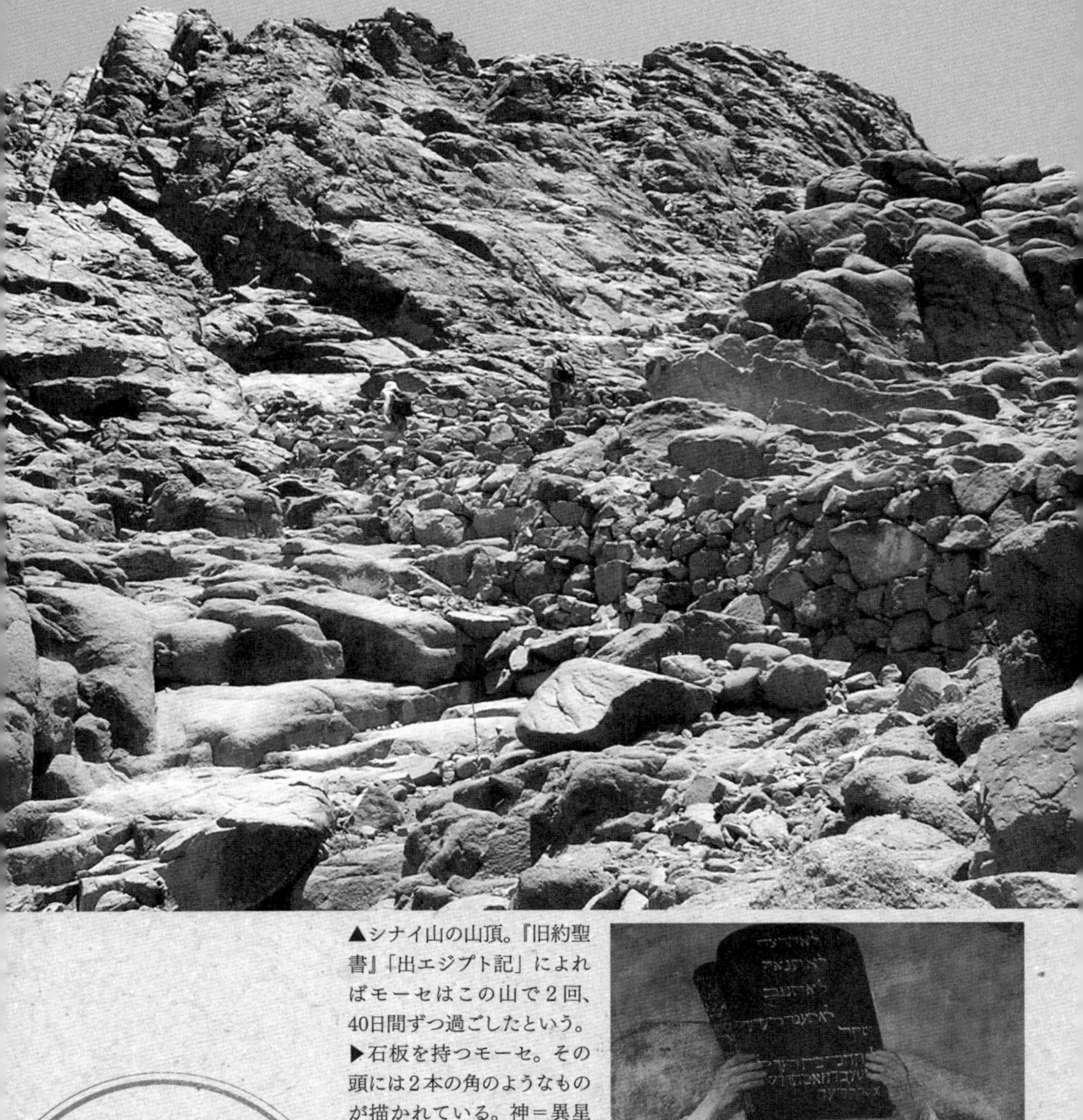

▲シナイ山の山頂。『旧約聖書』「出エジプト記」によればモーセはこの山で２回、40日間ずつ過ごしたという。
▶石板を持つモーセ。その頭には２本の角のようなものが描かれている。神＝異星人と交信するためのアンテナなのか？

ム認定 AUTHORIZATION

契約の箱アーク

奇跡をもたらし兵器ともなる聖櫃

No.0000025

『旧約聖書』に登場する「契約の箱」といえば、映画『レイダース／失われたアーク《聖櫃》』でおなじみの「アーク」のことである。

　アークはアカシア製の箱で、長さ約1・3メートル、幅と深さが約79センチ。内外とも金で覆われていたという。蓋の上には1対のケルビム（智天使）像が飾られている。中には、モーセが神に授けられた十戒を刻んだ2枚の石板、食料「マナ」の入った黄金の壺と、超常現象を引き起こすアロンの杖が収められていた。

　アークはむろんヘブライの至宝となったが、武器としても超絶なパワーを有していた。その威力はモーセの後継者ヨシュアの時代とそれ以降に発揮されている。ヨシュアが死海北西部の町エリコを攻めたとき、ヘブライの人々はアークを担いで7日間城壁の周囲をめぐり、角笛を吹いた。すると、巨大な城壁が崩れ落ちたという。その他、重さ数百キロあるにもかかわらず、アークは宙に浮いて敵目がけて飛んだともいわれる。また、アークはヘブライの人々と敵対していたペリシテ人に奪われたが、感染症などの災厄を彼らにもたらしたため、不吉なものとして返還されたと伝わる。

　アークは、イスラエル王国のソロモン王がエルサレムに第1神殿を建立した際に、至聖所に安置された。このときには、アークの中には石板しか残されていなかったという。さらに『旧約聖書』には、これより以降のアークについての記述がない。事実、外敵による第1神殿崩壊後

はアークの行方は不明である。このときに破壊されたのかもしれない。
ただし確証がないため、その所在に関しては諸説紛々だ。第2神殿の地下深く、つまり岩のドームの下に埋もれている、エチオピアの教会にある……。
また、日本に渡り伊勢神宮に安置されている、徳島県・剣山に隠されているなどの説もある。ちなみに、日本に渡ったアークが「御神輿」のルーツとなったという説もある。本当に日本に渡っていたのなら、世界の歴史は大幅に変わるだろう。

▲唯一神ヤハウェからモーセが授かった、十戒石板や黄金の壺などを収めたアーク（右下）。両脇には担いで運ぶための棒があり、また上には1対のケルビム像が飾られている。

ム認定 AUTHORIZATION

死海文書

最終戦争と人類を救うふたりのメシア預言

No.000026

2017年2月9日、ヨルダン川西岸地区のクムランで、「死海文書」を蔵する12番目の洞窟が発見された。今回の発見は未使用の羊皮紙や文書の保存瓶（文書は盗掘に遭ったらしく中は空）などだったという。

「死海文書」の最初の発見は1947年。羊飼いの少年が洞窟の中から、壺に入った羊皮紙の巻物を見つけたのだ。その後も他の洞窟から総数972もの文書が出土した。主にヘブライ語で書かれた文書は、紀元前3世紀ごろから後1世紀ごろのものだ。書き手はこの地の住人・ユダヤ教「クムラン宗団」とされる。内容は『旧約聖書』最古の写本や外典、聖書関連書の注解書、そして教団関連の文書などの3つに大別される。

なお近年、最後の「教団関連の文書」が注目されている。というのも、この中で教団の教義「この世を光と闇の抗争の場とし、最後に光が勝利を治める」が語られているが、これは最終戦争を示す預言なのだ。そして、光が勝つまで人類は滅びの淵に立たされるという。その時期は2017〜2018年だが、ふたりの救世主（＝メシア）、「アロンのメシア」と「イスラエルのメシア」が出現して人類は救われる。

――イスラエル王国には12の支族がいた。紀元前10世紀ごろ、2支族が分かれユダ王国を建国。紀元前6世紀ごろ、この2支族はバビロン捕囚に遭ったが、後に故郷に戻った。現在のユダヤ人はその子孫だ。

残りの10支族は、紀元前8世紀ごろ、イスラエル王国はアッシリアに占領され、捕囚の身となった。そしてアッシリア滅亡後、彼らは行

▲ユダヤ教の一派であるエッセネ派「クムラン宗団」の人々が書き遺したと考えられる「死海文書」。

方不明となったのである。

「死海文書」によると、アロンのメシアは2支族＝現在のユダヤ人から、イスラエルのメシアは10支族の末裔から現れるという。

だが、10支族はどこにいるのか？

これについては諸説あるが、現在有力なのはなんと日本だ。彼らが渡来して日本人の祖先となったという。

イスラエル王国と日本の共通点は多々あるが、本当にメシアは日本にいるのか？　その謎の鍵は死海文書のさらなる読み込みと、クムラン周辺のより詳しい調査にある。

▲上：「死海文書」が発見されたイスラエル、クムランの岩山にある洞窟。これまでに12の洞窟が発見された。
下：文書が発見されたときの様子。パピルスや羊皮紙などに書かれていた。

▲「死海文書」は巻物状になっているだけに、縦に細長い形をした壷に収められているものもあった。
▶1952年に見つかった「死海文書」だけは、唯一、青銅板に刻まれたものだった。ここにクムラン宗団の名前も記録されていた。

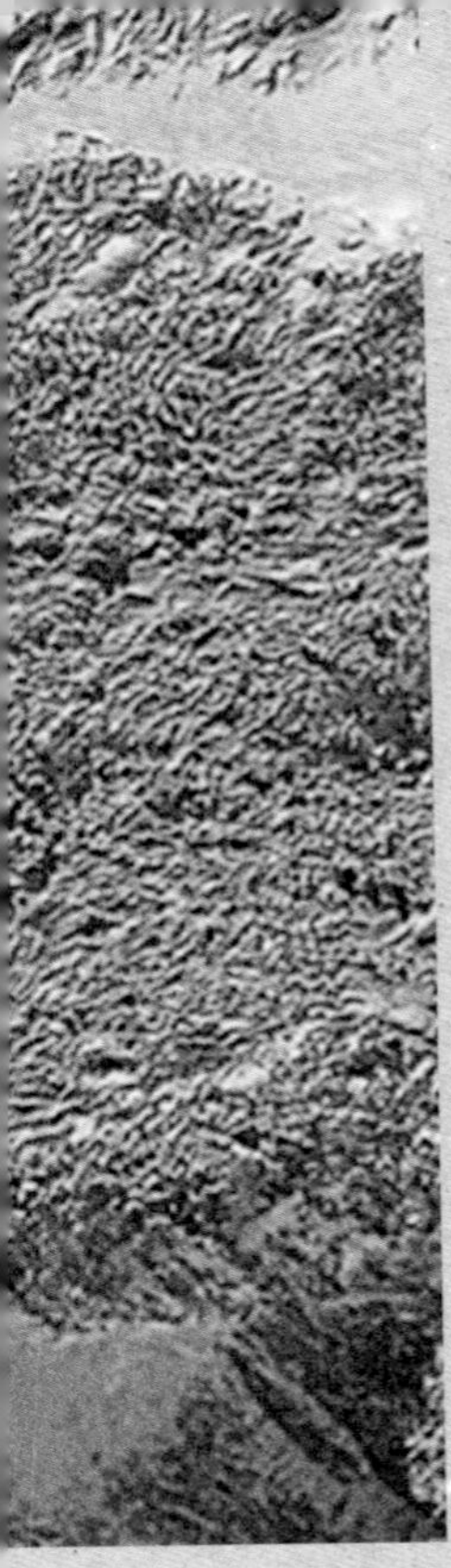

No.000027

アララト山とノアの箱舟

史実だった大洪水の痕跡

『旧約聖書』「創世記」に登場するノアの箱舟が、実在する可能性が高まっている。『聖書』による〝箱舟伝説〟とは次のようなものだ。

――神は人間の堕落と不信心を嘆き、滅ぼすことにした。しかし信仰心篤いノアだけは救おうと、彼に箱舟を建造し、家族と雌雄一対の動物たちを乗せるように指示した。その後、40日40夜、雨が降りつづき、地上の生き物たちは絶滅した。箱舟は150日間漂流した末に、アララト山上に止まった。ノアは水が引いたのを確認してから地上に降り立ち、新たな人類の祖となった。

アララト山はトルコ東部、イランやアルメニアとの国境間近に位置する、標高約5165メートルの火山だ。この山の山腹から巨大な木造船の残骸が発見されたという。

2006年4月、アメリカでアララト山を撮影した1枚の衛星写真が公開された。これは海抜4700メートルの「アホラ・ゴルジェ」と呼ばれる地点を撮影したもので、中央に氷河に埋まった巨大建造物が確認できる。このとき、撮影者のダニエル・マッギバーンはこう述べた。

「この写真によって、アララト山の物体がノアの箱舟だったことが確実となった」

実はアララト山はこれまでも何回か箱舟の存在が指摘され、調査もされている。アホラ・ゴルジェでも、すでに1949年にアメリカ空軍によって人工建造物らしきものが撮影されている。そしてCIA（アメリカ中央情報局）が巨大な船体らしきものであることを確認し「アララト・アノーマリー（異常物）」というコー

ドネームをつけて、調査中だという。マッギバーンの発言は、こうした背景を受けてのものだったのだ。

なお、『聖書』によれば、箱舟のサイズは長さ150メートル、幅25メートル、高さ15メートル。一方、アララト・アノーマリーは長さ138メートル、幅23メートル、高さ14メートル。両者の数字はほぼ合致している。

謎に満ちた記述が多い『旧約聖書』に記された、かつて世界を大洪水が襲ったという大事件が、〝史実〟であったことが証明される日も遠くはなさそうだ。

▲アララト山海抜4700メートルのアホラ・ゴルジェで撮影された巨大建造物（丸囲み）。はたして、ノアの箱舟なのだろうか？

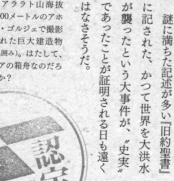

▲上：96〜97ページの箱舟地形（丸囲み）を俯瞰で見た画像。見た目にも周りと異質なものが存在していることがわかる。下：ノアの箱舟のイメージ。このような形だったと考えられている。

▲1949年にアメリカ空軍がアララト山で撮影し、ＣＩＡが巨大な船体らしきものであることを確認した「アララト・アノーマリー」。上：地形を拡大して観たもの、下：遠景から観たもの。そのサイズは『聖書』の記述とほぼ一致する。

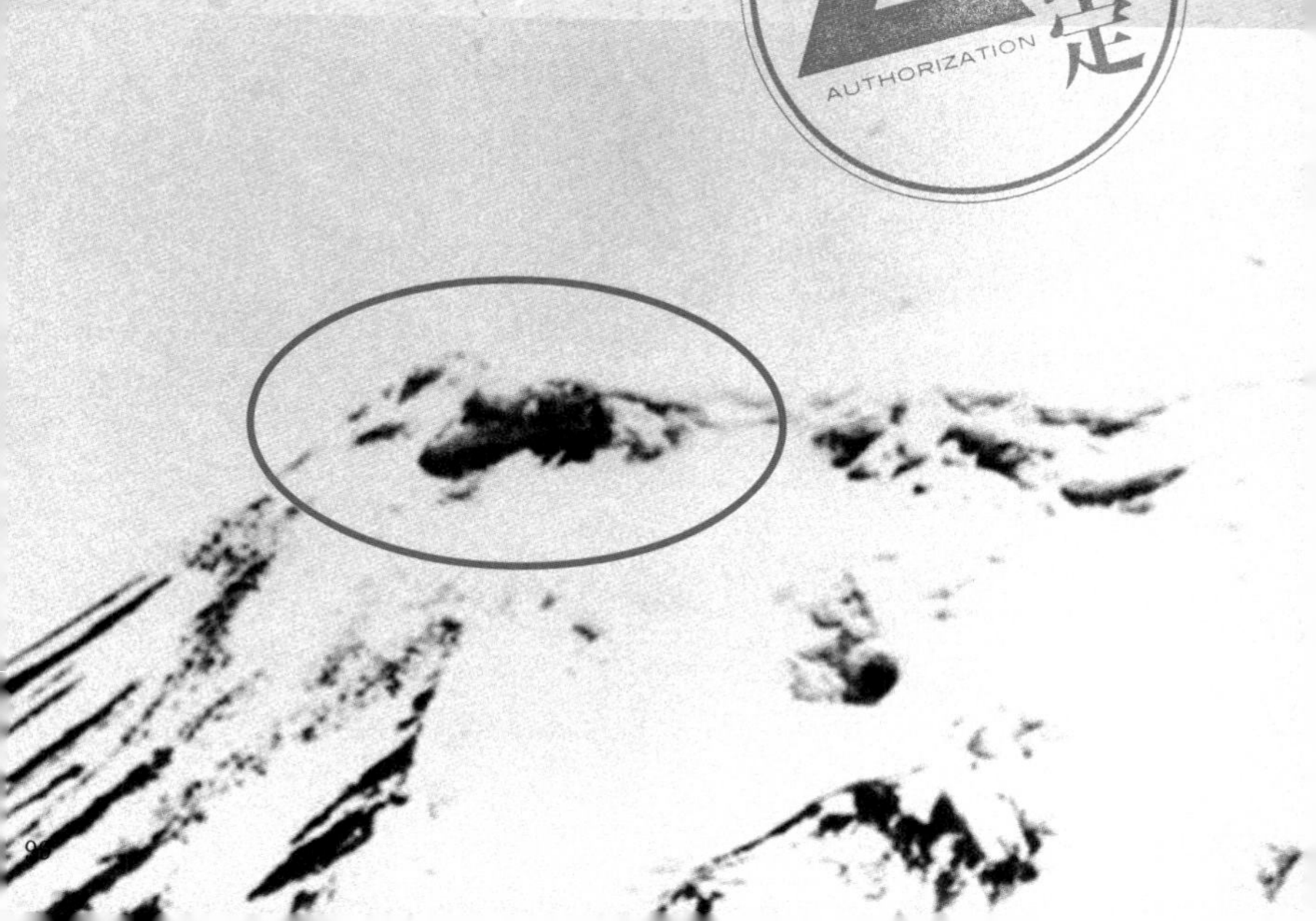

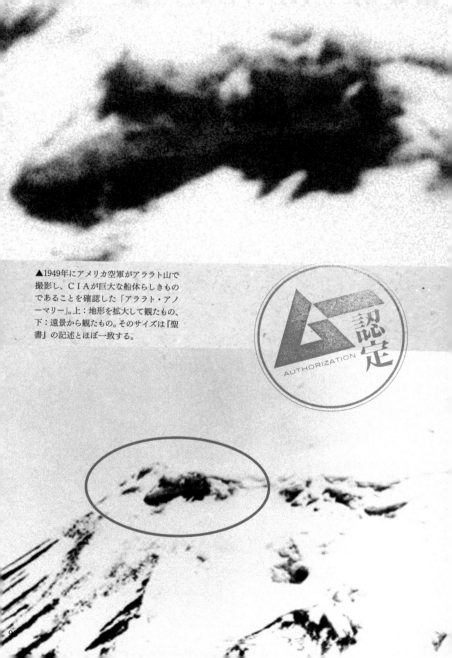

メギド

世界最終戦争の地

No.000028

イスラエル、ハイファ南東にある人工の小高い丘の上。この地に約4000年前に建造された都市メギドの遺跡がある。日本人にはなじみが薄いが、『聖書』にはよく出てくる地名だ。とくに『新約聖書』「ヨハネ黙示録」の次のような一節が、この地を重要なものとしている。

「3つの霊は、ヘブル（ヘブライ）語でハルマゲドン（アルマゲドンとも）というところに、王たちを招集した。〈中略〉すると、稲妻ともろもろの声と雷鳴とが起こり、また激しい地震があった。この地震は人間が地上に住んで以来、かつてなかったほどのもので、それほどに大きな地震であった。また、あの大きな都は3つに裂かれ、諸国の民の町々は倒れた。〈中略〉大きな雹が人々の上に天から降ってきた……」

〝ハルマゲドン〟はヘブライ語で、実は「メギドの丘」のことだ。そして「ヨハネ黙示録」によると、悪魔はこのメギドに軍隊を集め、天使との最終戦争が行われるという。

メギドはかつて、北のアッシリアと南のエジプトを結ぶ通商路の要衝だった。そのためか、ある研究者は世界の歴史を通じて、このメギドほど数多く戦場になった場所はないと語っている。事実、この地には実に24回も破壊されては再建された、都市の遺跡が積み重なっているのだ。

2014年9月13日、ローマ法王フランシスコは、同年が第1次世界大戦開戦から100年にあたることから、イタリアのとある慰霊施設で戦没者を追悼した。ところが法王はその際に、中東およびヨーロッパ

など世界各地で戦闘やテロが続く現状を「すでに第3次世界大戦は始まっていると考える人もいるだろう」と述べたのだ。キリスト教世界の頂点に立つ人物だけに、その言葉はきわめて重い。だが、仮に法王の言葉どおりとすれば、その主戦場は、やはり『聖書』預言どおりメギドになるのだろうか？

——現在、メギドの遺跡には、次のように書かれた看板がある。

「ここはハルマゲドン。キリスト教徒の伝承によれば、ここで世界最後の戦争が行われるといわれている」

▲歴史上、もっとも多く戦場になった場所ともいわれるメギドの丘。『聖書』預言の最終戦争もまた、この地が舞台となるのだろうか？

ム認定
AUTHORIZATION

われわれが世界各地で目撃し、噂を聞き、間接的証拠をいくつも発見していながらも、生体、死体をはじめとするハードエビデンス（確かな証拠）のない不思議な存在がいる。未確認動物ＵＭＡだ。

噂と信憑性の狭間で、ある者はＵＭＡ探査に命をかけ、ある者はＵＭＡ研究に心血を注ぐ。しかし、その輪郭は固められていきながらも、逃げ水のようにその存在に迫ることができない。すべてのＵＭＡは、まさしく地球上に生息するとされつつも〝不思議〟

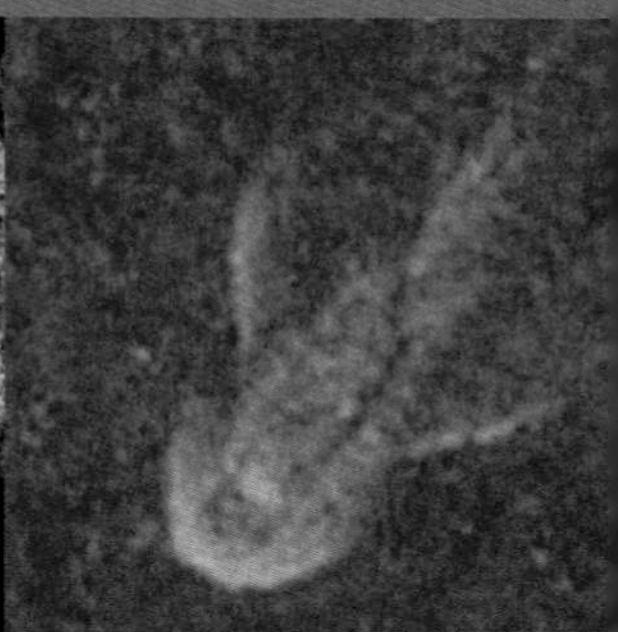

七不思議

な逸話ばかりが積み上げられていく。
そこで、「ムー」では世界から報告されるあまたのUMA伝説から、「ネス湖の伝説的怪獣ネッシー」、「ヒマラヤの雪男イエティ」の2大UMAを筆頭に、ビッグフットに代表される「北米の獣人」、信憑性の高さから研究も成される「モンゴリアン・デスワーム」、古代生物の生き残りと見られる「ブラジルの翼竜」、超常現象とともに語られる「エイリアンビッグキャット」、「ジョシュア・トライアングルの獣人」を認定する！

No.000029-No.000035

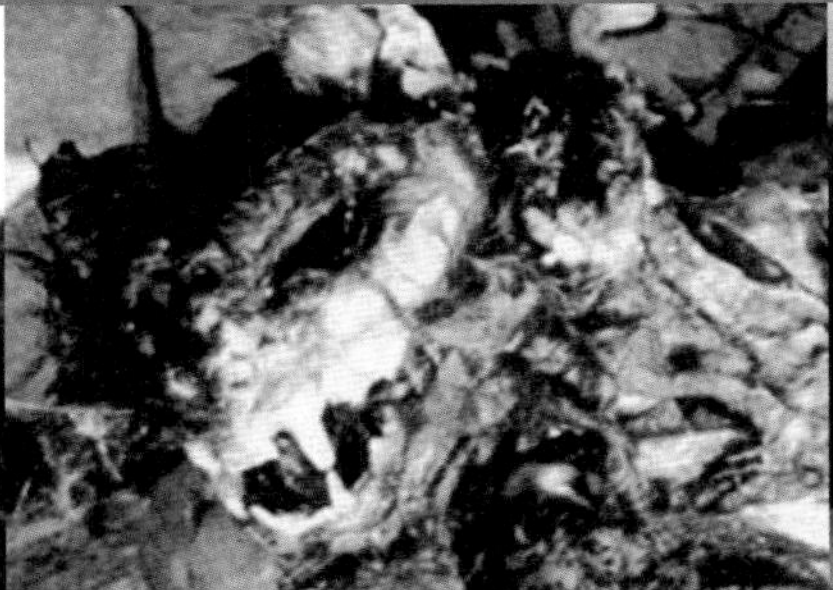
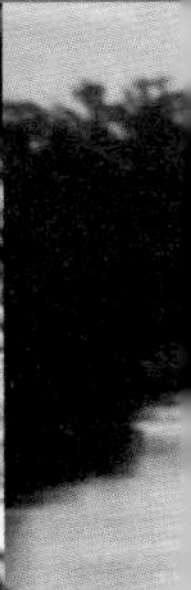

5章 UMAの

ネス湖の怪獣伝説

正体は首長竜か水棲哺乳類か

No.000029

イギリス、スコットランドには、同国最大の淡水湖であるネス湖がある。長さ約35キロ、幅約2キロの細長い湖の岸辺には、13世紀に建てられたアーカート城の廃墟があり、観光名所のひとつとなっている。だが、湖を訪れる観光客のほとんどは、最大水深約230メートルの湖に潜む水棲獣「ネッシー」により多くの関心を抱いているにちがいない。

ネス湖の怪物の報告は中世の文献にも見られ、ネッシーは長期間にわたり、目撃されていたようだ。

その伝説が現実となったのは、1930年代。湖岸を走る国道が開通し、目撃が急増した。同年3月、マッケイ夫人によって最初の目撃写真がもたらされると、7月には、湖畔をドライブ中のスパイザー夫妻が怪獣と遭遇。長い首と濡れた象皮のような肌の、体長約8メートルの怪獣が茂みを抜けて湖に下りたと報告した。そして11月、ヒュー・グレイが湖面に水しぶきをあげて身をくねらせる怪物の姿を撮り、世界中の注目を集めた。

この世界一有名な水棲獣の正体を探るべく、専門家や研究家たちが調査を重ね、数多の仮説が唱えられてきた。ネス湖畔でその化石も発見されている首長竜プレシオサウルスの生き残りとする説がもっとも有力視されているが、動物学者ベルナール・ユーベルマンらは、未発見のアザラシに属する新種の「水棲哺乳類」だと主張。一方で、シカゴ大学の生物学者ロイ・マッカルは、古生代に絶滅したエンボロ目の大型有尾類が生きのびていたと指摘す

▲2013年8月27日にビデオによって撮影されたネッシーと思しき怪獣。頭部が確認できる。

るように、いまだ定説はない。

近年、湖畔や湖底に24時間の監視カメラが設置され、ネッシー研究が飛躍的に進展されると期待されている。だが、怪物が映りこんだ映像を検証したところ、ヘビのような鎌首をもつ細長い生物だと判明した。

これがネッシーの正体なのか？　それとも、別の未知生物なのか？　その謎は深まるばかりだ。いずれにしても、こうした〝新兵器〟が、研究を進化させるのはまちがいない。その正体や生態が明らかになる日は、そう遠くないかもしれない。

認定
AUTHORIZATION

ム認定
AUTHORIZATION

◀ネッシーにまつわる伝説で最古のものとされる6世紀の『聖コロンバ伝』。コロンバは人を食い殺すネス湖の怪物を追い払った。
▼1933年11月、ヒュー・グレイが撮影した、身をくねらせるネッシーの写真。

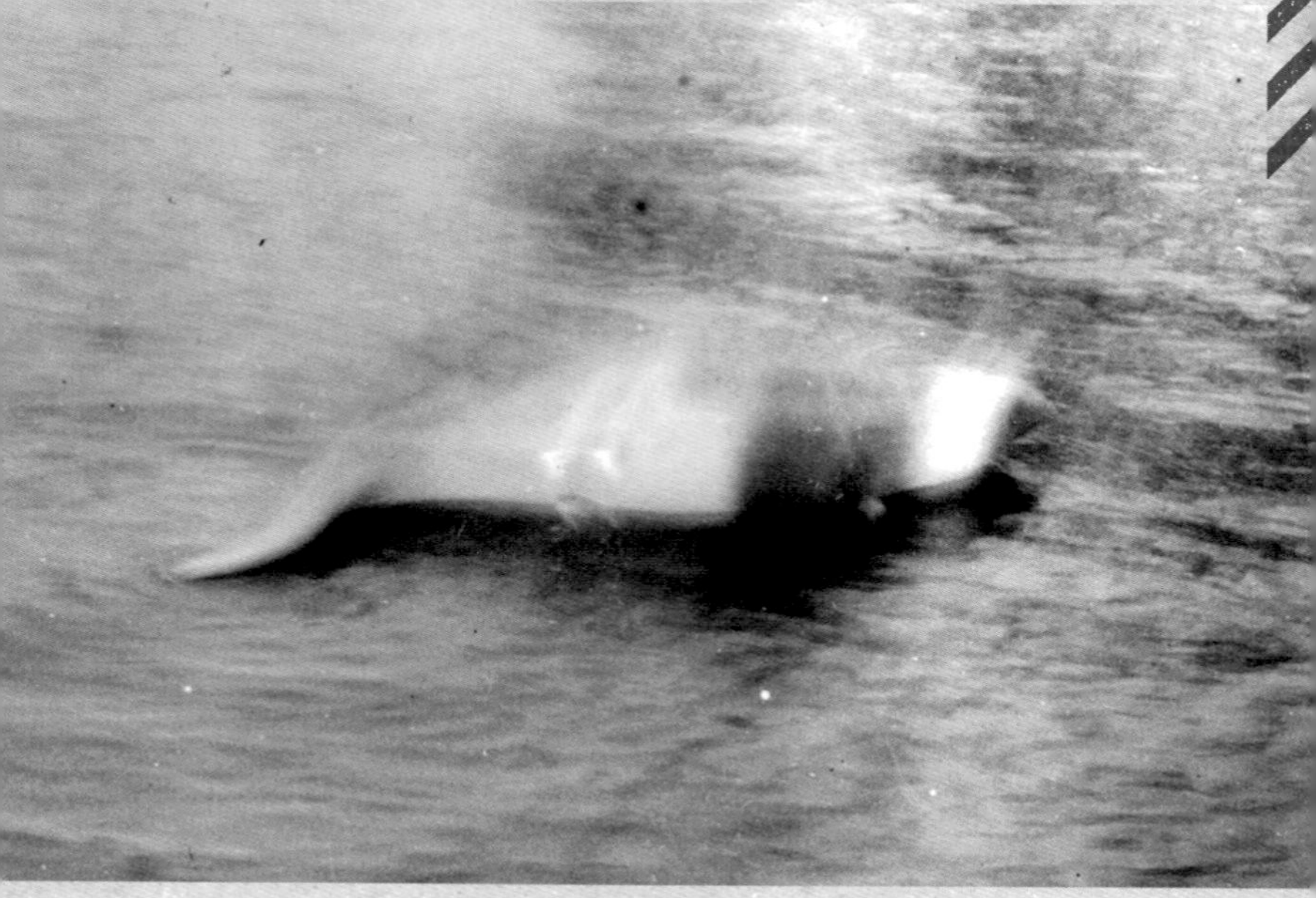

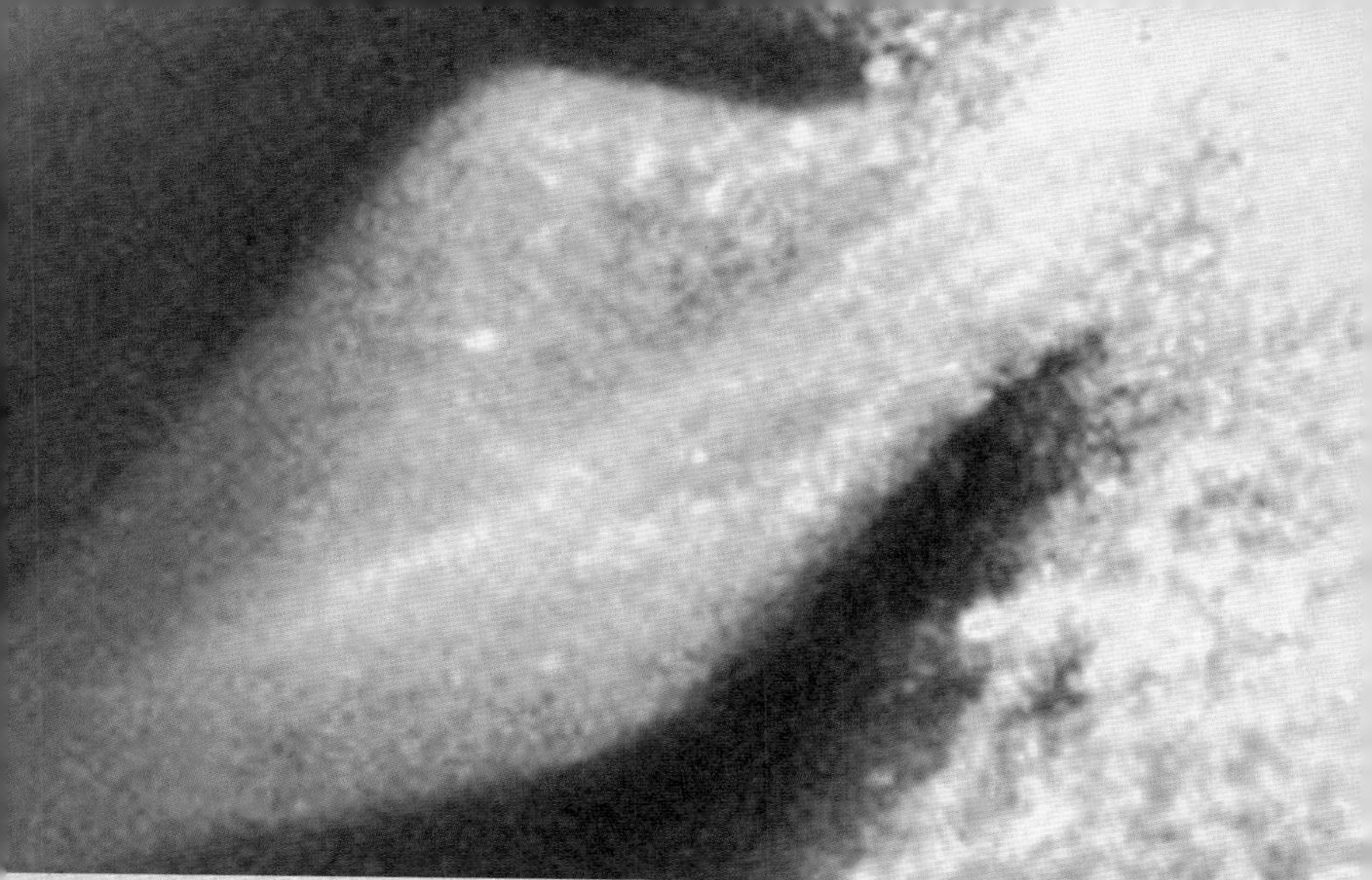

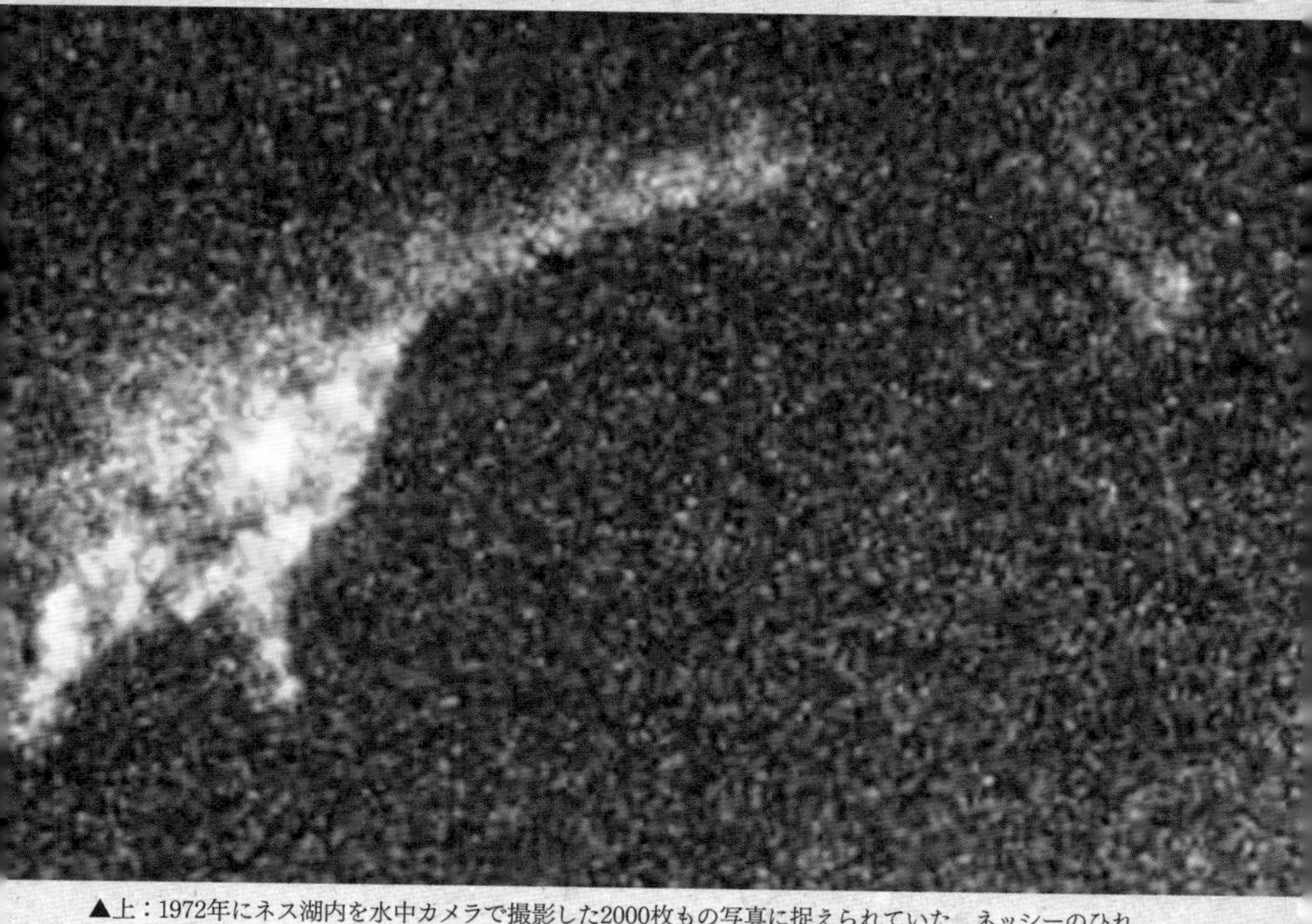

▲上：1972年にネス湖内を水中カメラで撮影した2000枚もの写真に捉えられていた、ネッシーのひれ。
下：現在でも唯一、ネッシーの全身を捉えたとされる水中写真。やはり首長竜を思わせる。

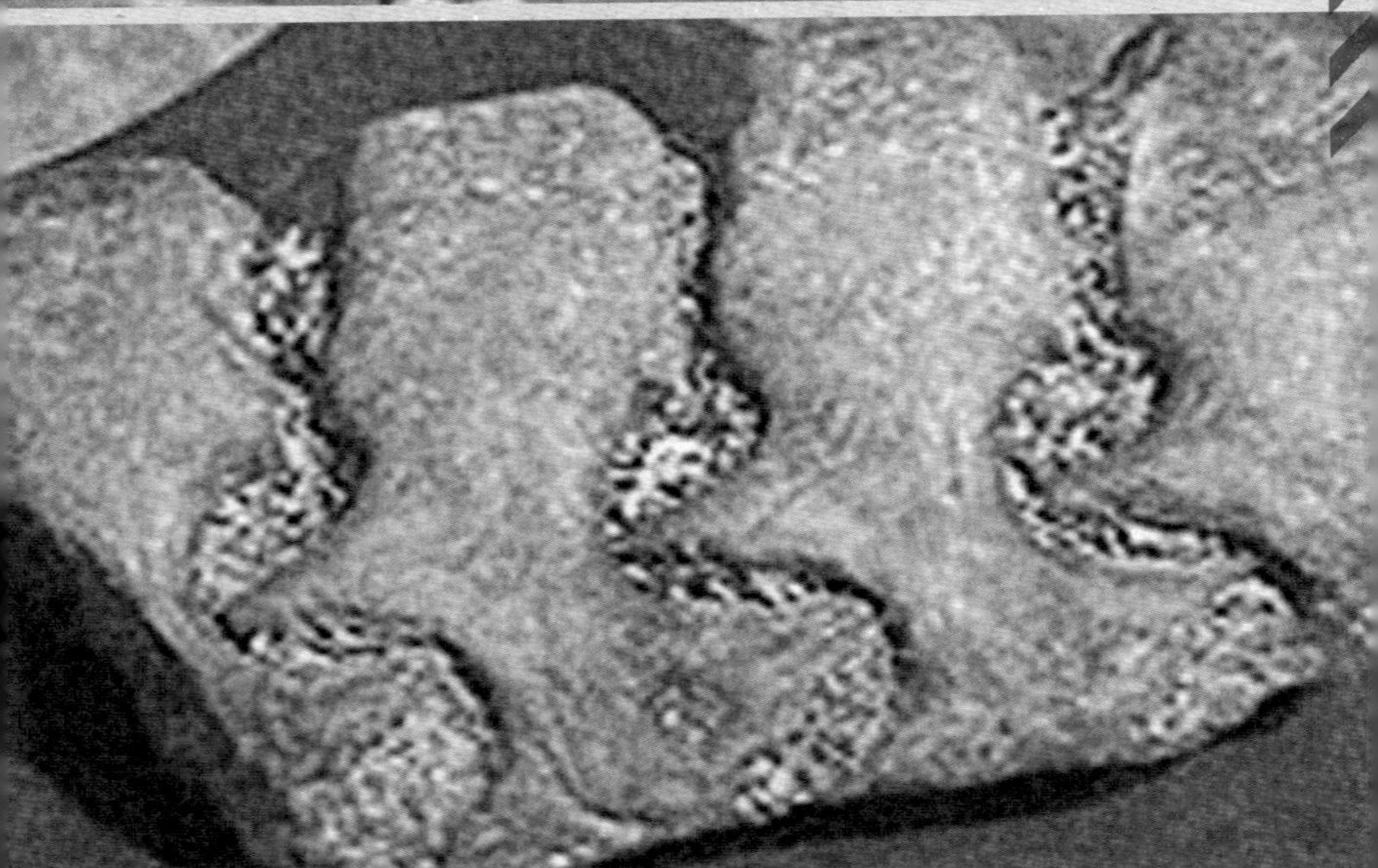

▲上：ネッシーの目撃が多発しているアーカート城近辺の光景。下：ネス湖湖畔で発見されたプレシオサウルスの腰椎の化石。ネス湖に首長竜がいたという決定的な証拠だ。

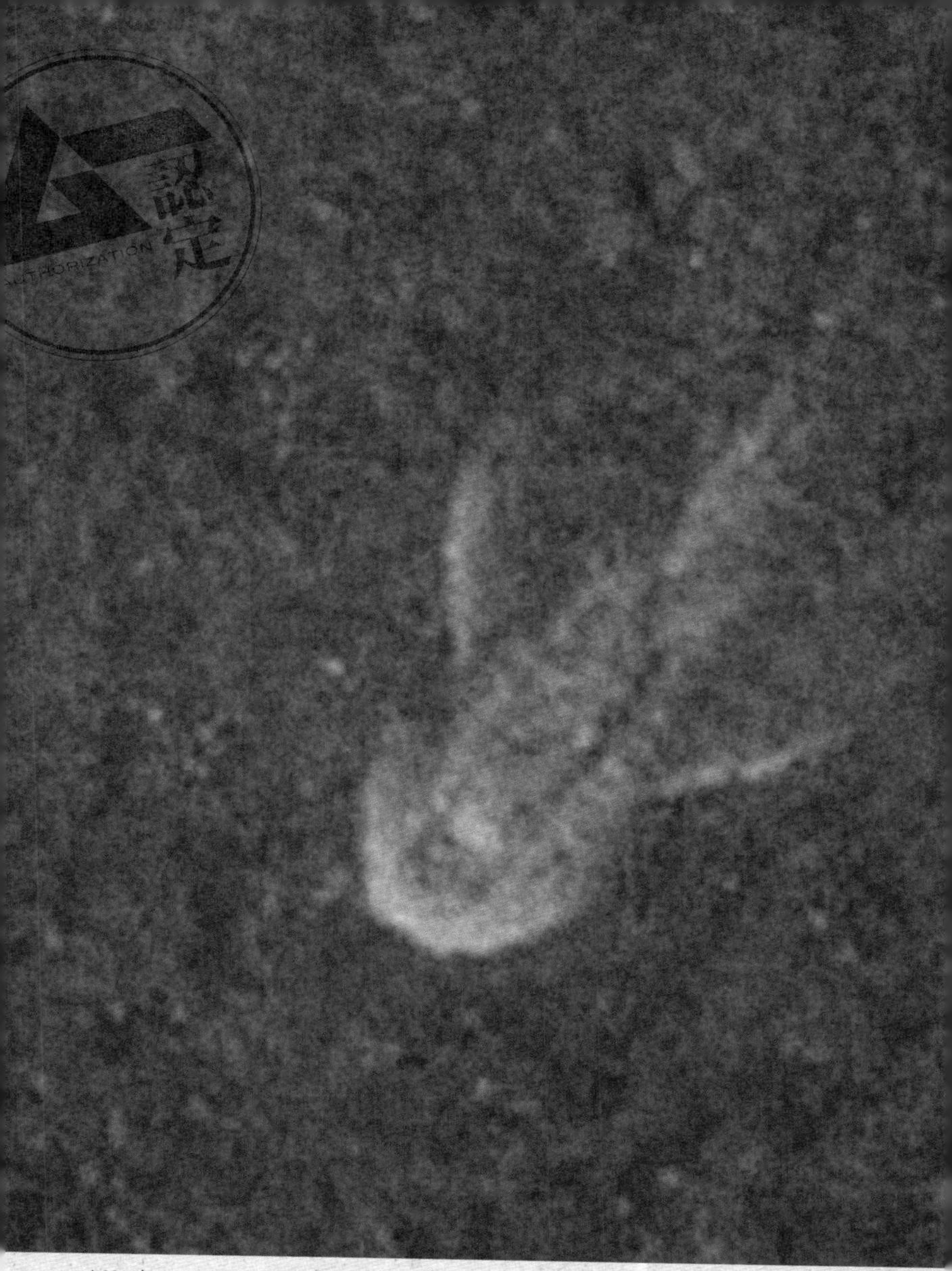

▲2014年、ネス湖を捉えた衛星写真に写っていた謎の怪物。ネス湖にいるのはネッシーだけではないのだろうか？　あるいはネッシーとは首長竜ではないのか？

ヒマラヤのイエティ伝説

雪山の謎の獣人

No.000030

ヒマラヤ山脈の奥地には、獣人「イエティ」が棲むという。チベットの創世神話にも登場するほど古くから語り継がれているが、その存在が知られるようになったのは1889年のこと。インドのシッキム州北東部の標高5200メートル地点で、イギリス陸軍のL・オースティン・ウォールデン中佐が、人間の靴跡よりはるかに大きい足跡を発見。1898年に発表した著書『ヒマラヤの山の中』で報告したのだ。

1925年にはギリシア人の写真家で、博物学者でもあるN・A・トムバジが、高峰カンチェンジュンガで、角張った大きな頭部、全身が黒い毛で覆われたイエティを目撃。

1951年には、イギリスの登山家エリック・シプトンによって、1キロ以上も続く巨大な裸足の足跡が発見され、写真におさめられた。長さ45センチ、幅32センチもある足跡は、親指と人差し指が異様に大きいのが特徴的だ。この写真は世界中で話題を呼び、各国の調査団による学術調査も始まった。

その姿が写真で捉えられたのは1986年、イギリス人のアンソニー・B・ウールドリッジによる。また、近年ではポーランドの山岳地帯でも目撃されている。

これまでの情報から、1・5メートル、2・4メートル、4・5メートルと3種類が存在すると見られ、足跡も24・5～45センチと大小さまざまに発見されている。体毛は赤褐色、もしくは暗褐色。外見的特徴は類人猿に近いが、やや角張った頭部が既知の生物であることを否定する。また、ホイッスル音のような奇声を聞いたという報告もあるが、目撃者を襲った事例はなく、温厚な性格であると考えられる。

その正体については、ギガントピテクスやネアンデルタール人などの化石霊長類の生き残り説が有力視されている。ヒグマなどの誤認説もあるが、直立2足歩行の足跡はクマやほかの動物では説明がつかないため、少なくとも未知の生物の存在であることはまちがいないはずだ。

▲▶上：1986年、イギリス人のウールドリッジがインドとネパールの国境に近いヒマラヤのヘムクンドの急斜面で撮影したイエティ。これが世界初のイエティ写真となった。右：ウールドリッジが撮影したイエティのシルエットをイラスト化したもの。

▲1951年、イギリスの登山家シプトンが撮影した、雪上に1キロ以上も続いていたイエティの足跡。これがイエティ証拠写真の最初のものとなった。

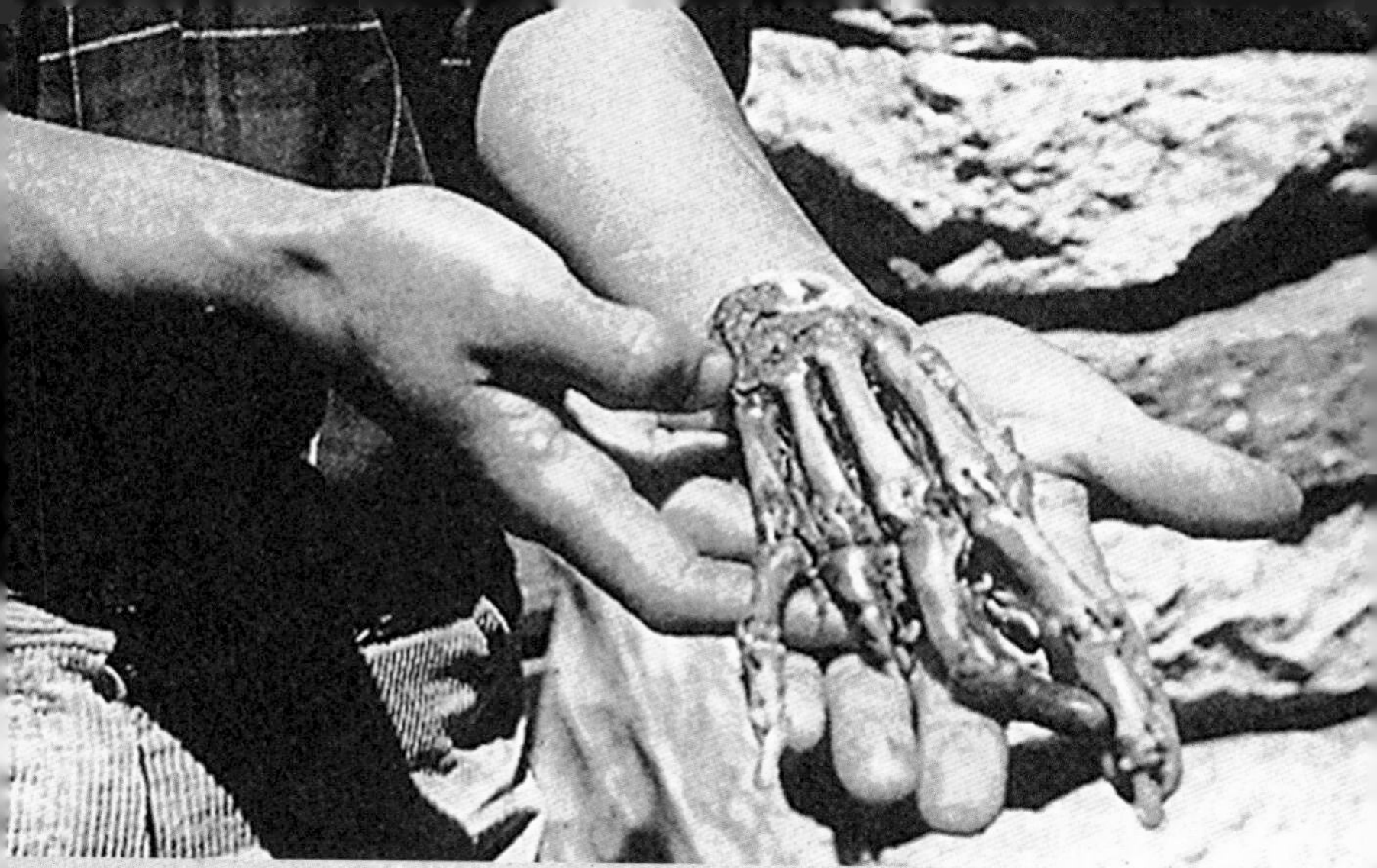

▲イギリスの「デイリーメール」がイエティ探索隊を結成し、ヒマラヤの寺院で調べたイエティの手のミイラ。同隊は、ほかにイエティの頭皮なども調べている。
▶イエティの目撃証言から総合して描かれたイメージイラスト。全身を赤褐色または暗褐色の毛に覆われている獣人だ。

認定
AUTHORIZATION

モンゴリアン・デスワーム

砂漠の巨大毒ミミズ

No.000031

ゴビ砂漠には、巨大化したミミズのような怪生物「モンゴリアン・デスワーム」が棲息するという。その姿がウシの腸に似ていることから「オルゴン・コルコイ」とも呼ばれるデスワームは、周辺地域の古文書に記録されているほど、古くから伝えられる怪物だ。20世紀に入ってからは本格的な調査も開始されており、現地民たちの伝承や目撃談が収集されている。

伝えられるデスワームの性質は、いたって獰猛で攻撃的。黄色い毒物を吐きつけて、人や動物を死に至らしめるという。「屋外で黄色のおもちゃ箱で遊んでいた子どもが、箱に入り込んでいたデスワームに触れて急死した」「馬に乗っていた男がデスワームを発見し、手に持っていた棒で掃おうとしたが、怪物をついた途端、棒先が緑色に変化し、馬も男もその場で死んだ」と、猛毒の脅威を伝える逸話も数多く残されている。さらに、尾から放電させて襲いくることもあるといい、19世紀には数百人のロシア調査団が餌食となったという報告もある。

既述したとおり、巨大なミミズを思わせる姿で、推定体長は50センチ～1・5メートル。体色は赤、赤茶、茶褐色で、体表に黒い斑点があるという。その正体については、デンキウナギの変異体あるいは進化体、ミミズトカゲの変異体という説もある。ミミズトカゲは地中生活に適応して四肢が退化したトカゲ亜目で、ミミズのような外観を持つ。デスワームを2度も目撃した少年の証言によると、「ソーセージのような姿で、体長は約60センチ。目鼻は認められず、赤茶の体表にはヘビのようなウロコがついていた」というから、ミミズトカゲのような爬虫類種である可能性は高い。

近年では、デスワームと思しきミイラや動画なども報告されているが、詳細不明なものが多く、証拠にはなりえない。しかし、現地では粘り強く調査されており、いずれは生きた個体が獲得されるだろう。当地からの続報に期待したい。

▲モンゴリアン・デスワームの想像図（イラスト=zalartworks）。
▶デスワームのミイラと思しき物体。

ブラジルの翼竜

アマゾンに生きるプテラノドン

世界最大の流域面積のアマゾン川が流れる熱帯雨林には、いまだ未開拓エリアが大半を占め、そこに未知の生物が数多く棲息している。

2013年11月、この地で撮影された1枚の写真がネット上で公開され話題を呼んだ。

写真を公開したヘンリー・パターソンによれば、撮影されたのは2005年。ブラジルを訪れていたある人物が撮影したものだという。水中に潜む獲物を狙うように水上を飛ぶ怪鳥の推定体長は5～6メートル。長いクチバシに長くのびたトサカ状の後頭部、コウモリのような両翼、茶褐色の体……、その姿はまさにプテラノドンそのものだ。

背景に原生林と川が写っていることから、撮影場所がアマゾン川であることが想像できる。この推察が正しければ、2005年ごろまでは、その流域に翼竜が棲息していたことになる。だが、そんなことがありえるのだろうか？　答えは「イエス」だ。

実は、太古の翼竜を思わせる飛行生物は、ほかにも存在する。たとえばパプアニューギニアで目撃が相次ぐ「ローペン」は、やはりプテラノドンのような姿だという。また、プテラノドンが生きた中生代白亜紀までは南米と地続きだったアフリカ各地では「コンガマトー」と呼ばれる怪鳥が目撃されており、北へ目を向ければ「サンダーバード（ビッグバード）」と呼ばれる巨鳥の伝承が北アメリカの原住民たちの間で古くから語られてきた。アマゾンの翼竜が、これらに類する未確認生物である可能性は低くはないだろう。

仮に、この謎の翼竜がプテラノドンだとしたら、アマゾン川流域で目撃されたのもうなずける。なぜならこの地は、生態的条件が比較的安定している。およそ1億年もの間、その姿を変えなかった古代魚ピラルクーのように、太古の姿を今に伝える生物が数多生存しているからだ。ましてや、未開の地が広範囲に残されている大アマゾンだ。人の目が届かないところで、翼竜が生き残っていたとしても、不思議ではない。

▲2005年、アマゾン川の湿地帯で撮影されたとされ、2013年11月14日に公開された、プテラノドンを思わせる生物の写真。

▶パプアニューギニアで目撃が相次ぐ謎の巨鳥ローペン。明らかに翼竜のようだ。なお、この写真の詳細はわかっていない。

エイリアンビッグキャット

No.0000033

神出鬼没の獰猛な野獣

シカやヒツジを襲う正体不明のネコ科動物「エイリアンビッグキャット（ＡＢＣ）」が、イギリスで目撃されるようになったのは１９６０年代。だが、猛威をふるいはじめたのは１９９６年からで、新聞で報じられた事例だけで34件。当初はヨークシャーおよびアングリア東部に集中していた目撃報告は、イギリス全土に拡大した。21世紀になっても目撃は増える一方で、２００４年4月から２００５年7月の間だけでも、実に２１２３件の目撃談が報告されている。

これほど目撃事例があり、そればかりか足跡や体毛などの物的証拠も獲得されているにも関わらず、ＡＢＣの正体はいぜん謎に包まれたまま。体色も黒、もしくは黄褐色に黒のまだら模様など、報告によって異なり、外見はピューマや黒ヒョウ、ヒョウといった大型のネコ科動物に酷似した怪物ということ以外、何もわかっていないのだ。

さまざまな憶測が飛び交うなか、動物園やサーカス、愛好家に飼われていたピューマなどで、逃げ出して野生化したという主張もある。

だが、ＡＢＣは突然その姿を消すという超常的な能力を持つといわれており、それを裏づけるように、アメリカ、はてはオーストラリアにも出没しているのだ。この能力が事実であれば、既知の生物である可能性すら否定されるだろう。

２０１０年3月、情報公開法によって、イギリス政府系機関「英国自然局」の統計資料が開示された。そこにはＡＢＣが「ビッグキャット」として記録され、調査を行っても正体を特定できなかった事件だけで

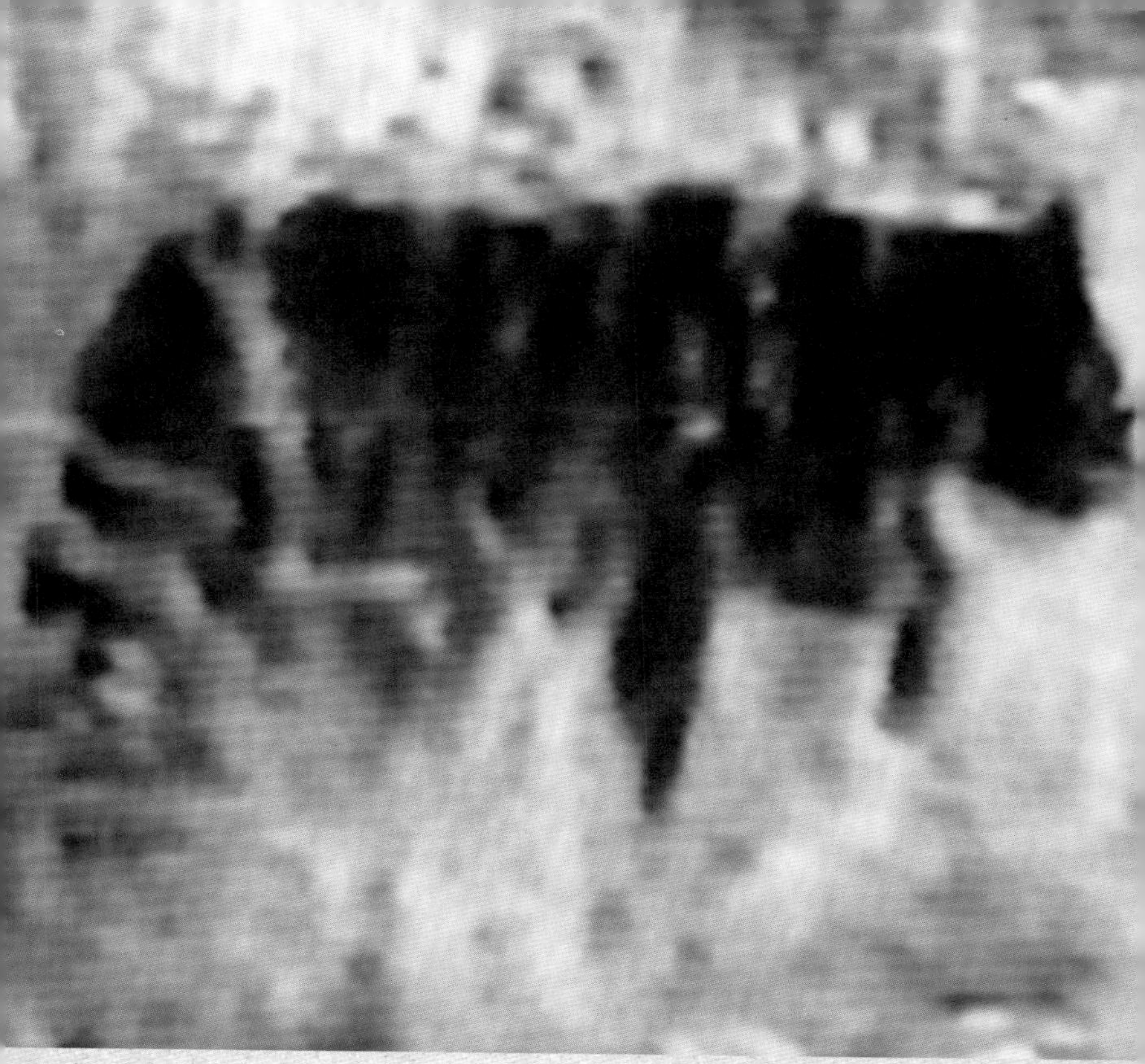

▲神出鬼没、イギリスで目撃されだしてから、アメリカやオーストラリアにまで現れているエイリアンビッグキャット（ABC）。

も40件以上が報告されていた。なんと、イギリス政府がその存在を認め、調査を進めていたのだ。
　今後、政府主導で調査が進めば、体毛などのサンプルが専門家によって高度のDNA鑑定にかけられるはずだ。そうなれば、有力な手がかりが必ずや得られるであろう。最近は、携帯やスマートフォンでの写真や動画の撮影が手軽になり、ABCの姿をとらえた写真や動画も急増している。謎に満ちたABC、――その正体が明らかになる日はそう遠くない。

ム認定
AUTHORIZATION

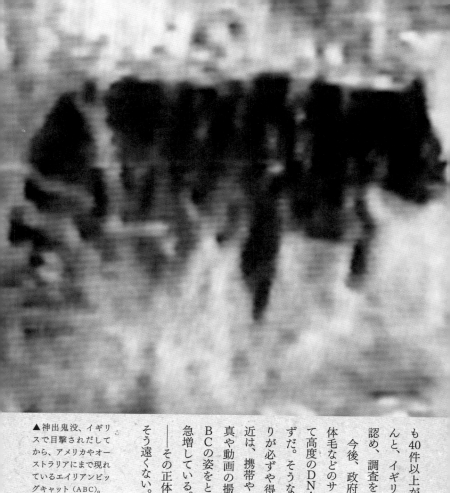

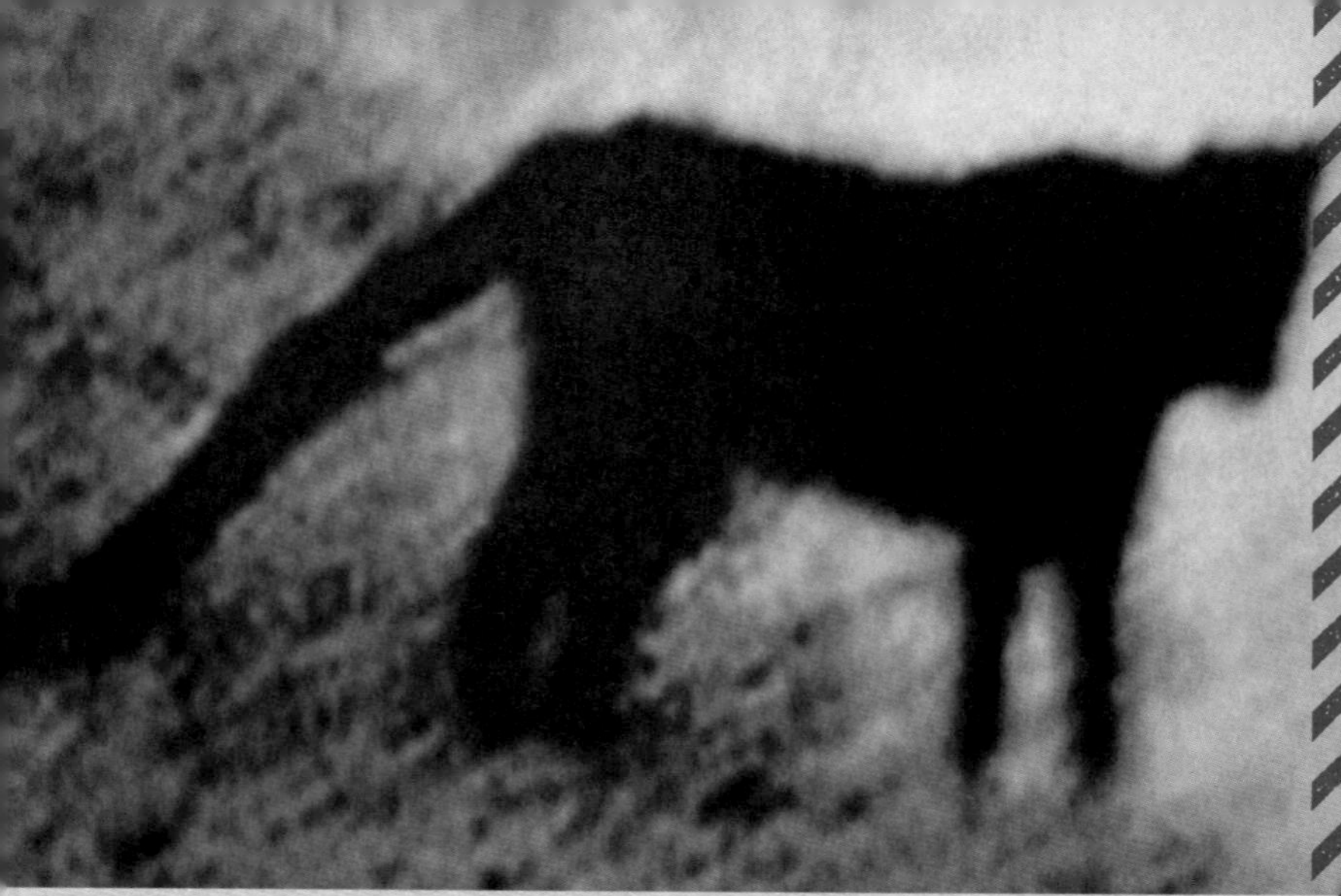

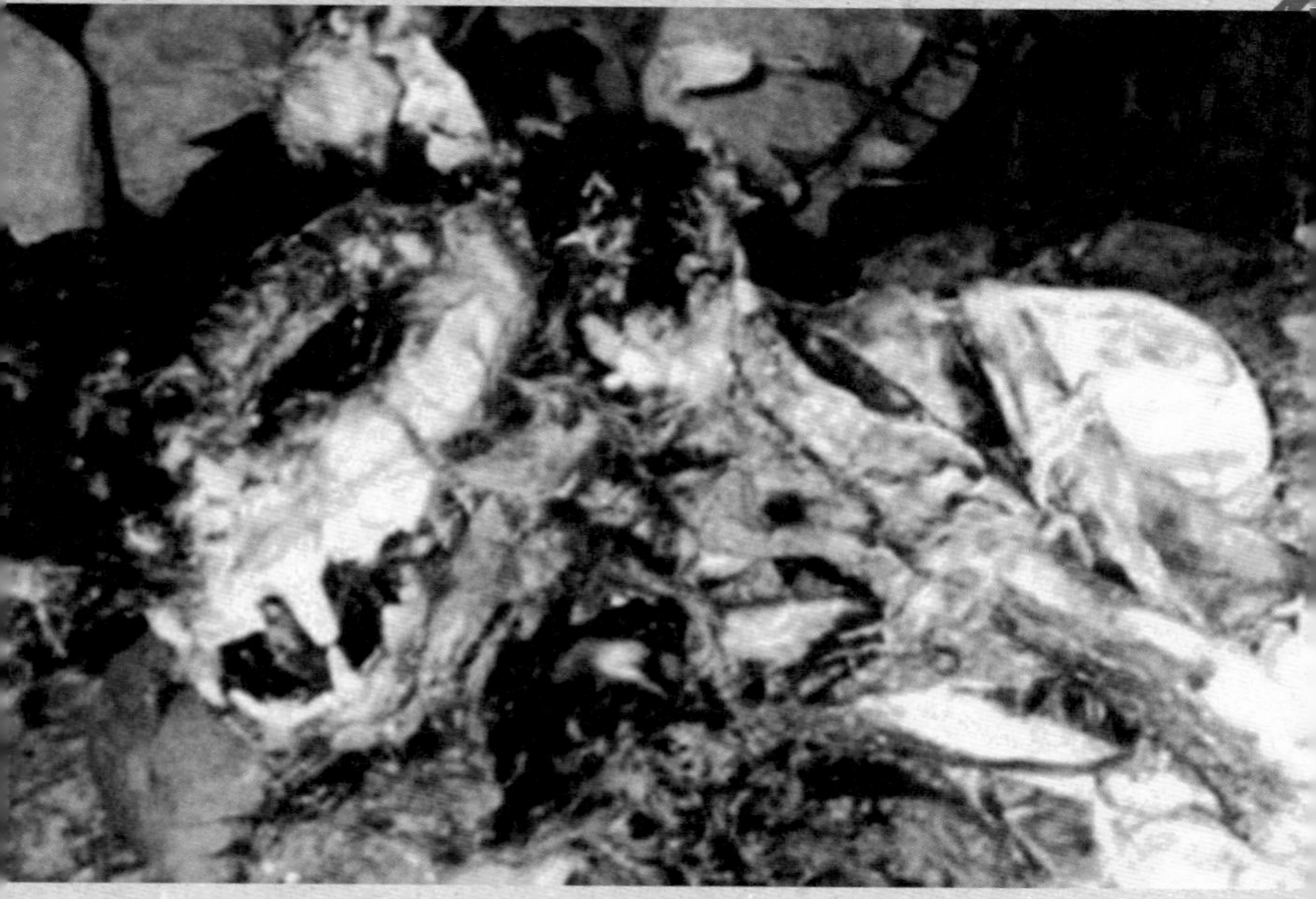

▲上：典型的なエイリアンビッグキャット（ABC）の姿を捉えた映像。異常に長い尾が特徴だ。下：スコットランド、インバネスで発見されたABCの死骸。

▶ＡＢＣの足跡と思われる痕跡。サイズは前後幅15センチほどだった。
▼ＡＢＣに襲われて食い殺された家畜の死骸。

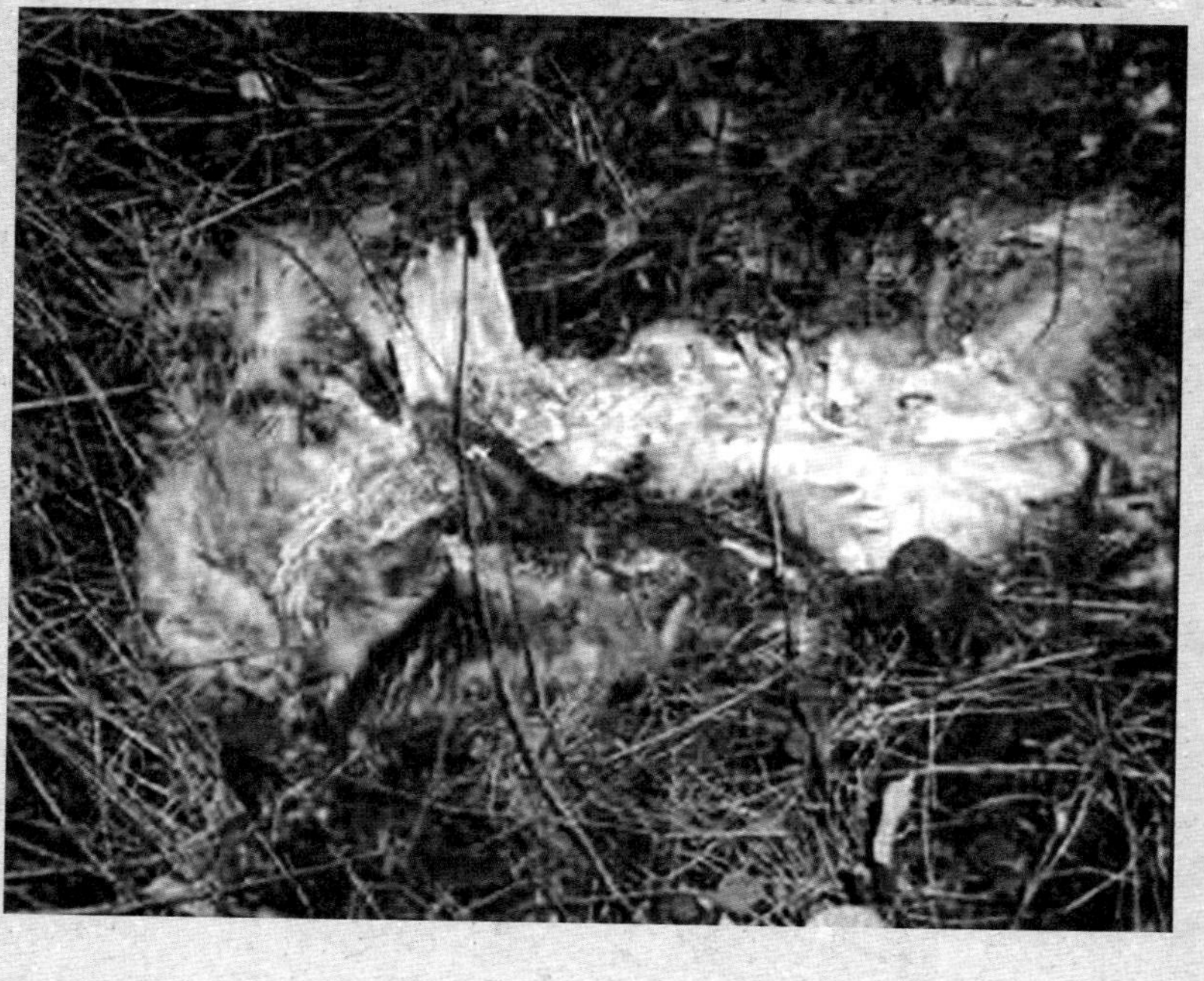

ジョシュア・トライアングル

No.0000034

獣人出現の異界トンネル

アメリカ、カリフォルニア州のジョシュア・ツリー国立公園は、ナショナル・モニュメントという文化遺産と知られ、観光地としても名高い場所だ。なかでも公園内の約１億年前に形成された奇岩群と隠れ谷、観葉植物ジョシュア・ツリーが演出する景観は特徴的で、さながら別世界の様相を呈する。

いや、もしかしたら、この公園は本当に異世界とリンクしているのかもしれない。なぜならば、あたり一帯は、古くから〝ミステリー・ゾーン〟としてもよく知られているからだ。

パーム・スプリングス、ジョシュア・ツリー公園、ユッカ・バレーの三地区を結ぶこの三角地帯こそ「ジョシュア・トライアングル」と呼ばれる超常現象の多発地帯なのである。

その一角をなすユッカ・バレーには、古くから「ユッカマン」と呼ばれる獣人の伝承がある。ユッカマンは２メートルを超す巨大獣人で、全身は毛むくじゃら。超常的な力をもつとされ、１９７１年に近郊のパーム海軍基地に出没したときには、守衛の兵士の全身をしびれさせ、気絶させたうえ、軍用ライフの銃身をへし折ったと報告されている。

１９８７年１月にも、ユッカマンらしき怪物が現れている。このときは、地面の上を滑るような動きを見せ、夜明けとともに消失。付近では謎の漏電事故が発生した。

最近になって、再び活動を活発化させているようで、２０１１年９月には、公園近くを車で通りかかった若者グループが獣人を目撃。若者たちはジョシュア・トライアングル内の奥深くまでユッカマンを追

▲ユッカ・バレーに出現時に撮影されたといわれるユッカマン。ただし、この写真がいつのもので、だれがどのような状況で撮ったものなのかはハッキリしていない。

跡したが、視界の開けた丘のうえに到達したところで、まるで大気に溶け込むように姿を消してしまったという。

ジョシュア・トライアングル内では獣人のほかにも奇妙な現象が頻発しているが、とりわけUFOの出没事例は多い。

もしかすると、ジョシュア・トライアングルは異世界とつながっていて、ユッカマンやUFOはそのトンネルをくぐり抜けて姿を現しているのかもしれない。

ム認定 AUTHORIZATION

2011年９月に、ジョシュア・ツリー国立公園近くを通り過ぎた若者たちが偶然に撮影したユッカマン。この丘の上で空気中に溶けるように消えた。

▲アメリカ、カリフォルニア州東南部にあるジョシュア・ツリー国立公園。異世界へのトンネルが隠されているというが……。

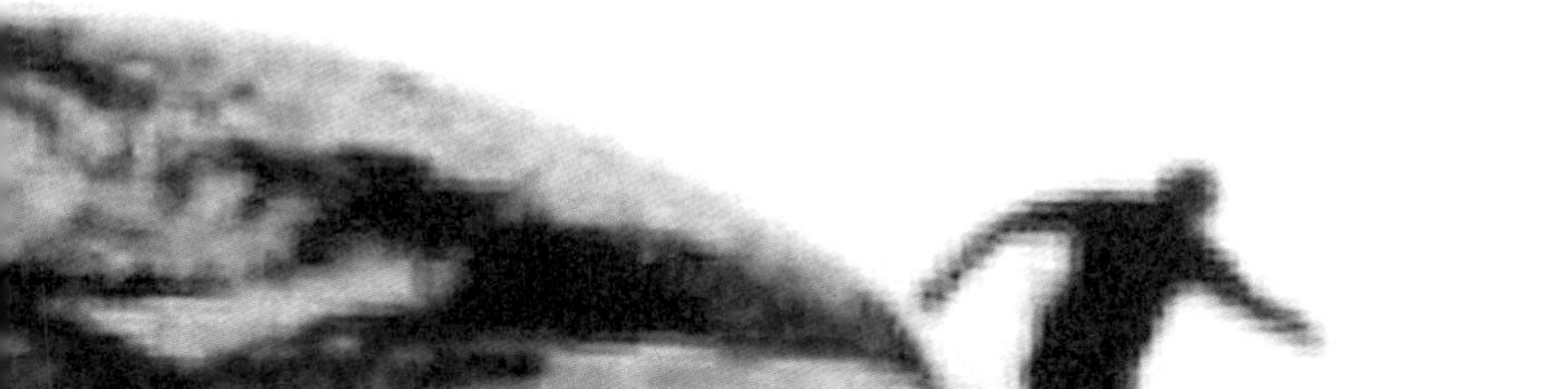

▲ジョシュア・ツリー国立公園内で保護指定された観葉植物、ジョシュア・ツリー。

北米の獣人

現代に生きる原始人類と都市伝説怪人

No.000035

パナマ地峡以北の北アメリカ大陸でも、未確認生物は数多く目撃されているが、なかでも獣人UMAの報告が突出して多いのが特徴だ。

1000年以上前から、アメリカ先住民の間で〝毛深い人〟と呼ばれる存在の証拠が見つかったのは、1810年。オレゴン州を流れるコロンビア川沿いで、最大長43センチの巨大な足跡「ビッグフット」が発見されたのだ。そして1967年、ロジャー・パターソンとボブ・ギムリンが獣人と遭遇。全身を黒い毛で覆われたその姿を映像に残すことに成功し、世界中を驚かせた。

以来、これまで2400件以上の目撃情報、物的証拠が獲得されているビッグフットは、実在の可能性がもっとも高いUMAという。

カリフォルニア州のアリソン渓谷では1920年代からヤギにも似た「ゴートマン」の出没が続き、ウィスコンシン州では1930年代から「ベア・ウルフ」と呼ばれる狼男を彷彿とさせる獣人が目撃されてきた。

1940年代から頻繁に目撃されるようになったフロリダ州の「スカンクエイプ」や、アーカンソー州の「フォウク・モンスター」は、ともに悪臭を放つことで知られている。

21世紀に入っても、未知の獣人は現れている。2007年、ペンシルバニア州で四足歩行する獣人「ジエイコブズ・クリーチャー」が監視カメラでとらえられたほか、2009年からノースカロライナ州で行動を活発化させている「ノビー」など、毎年のように〝新種〟の獣人が目撃されているのだ。

オハイオ州を中心に目撃された、3本指の足跡が特徴的な「グラスマン」のように、UFOとの関連性がささやかれる獣人もいるが、そのほとんどは、原始人類の生き残り、あるいは分化して独自進化を遂げた種族、つまりヒトに近い未知の霊長類である可能性が高い。だが、その正体がなんであれ、いずれも現生する個体数は決して多くないはずだ。研究と同時に、種を存続させる施策も今後は必要となるだろう。

▲1967年、ロジャー・パターソンらが撮影し、世界にセンセーショナルを与えた「パターソン・フィルム」に映るビッグフット。
▶ビッグフットの体毛サンプル。目撃証言、映像や写真にとどまらず、ビッグフットは物的証拠も数多く発見されている！

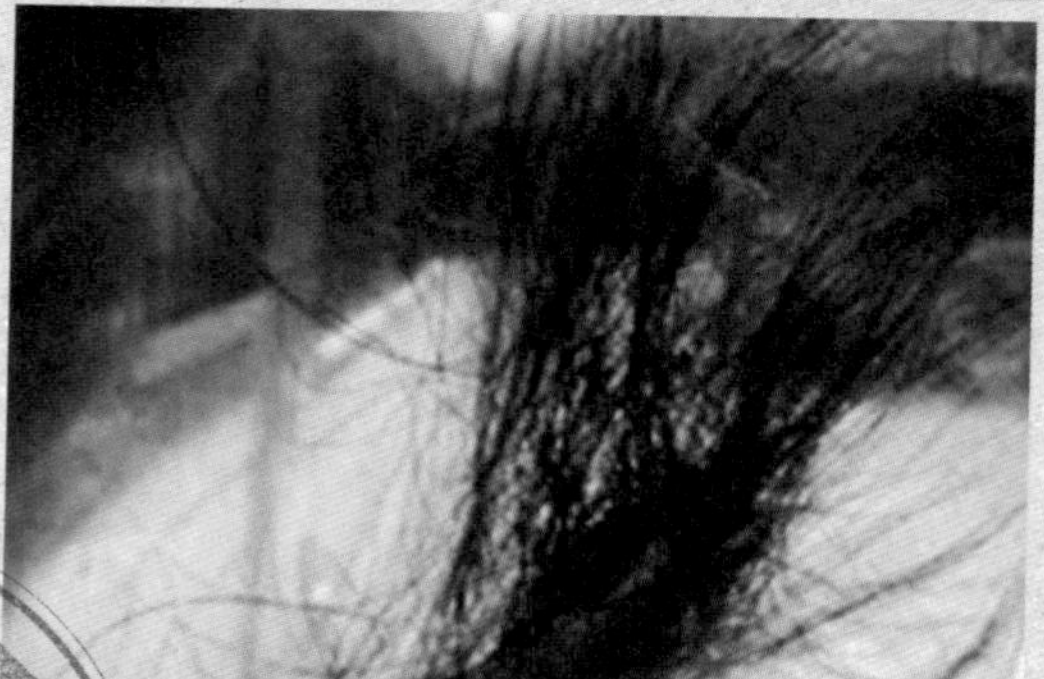

ム認定
AUTHORIZATION

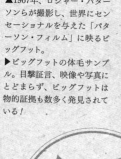

▶カリフォルニア州で古くから目撃が続く、ヤギの顔をした獣人ゴートマン。停めた車を破壊する凶暴な事件とともに恐れられ、都市伝説とともに語られている。
▼ウィスコンシン州で1930年代から目撃されている狼男を彷彿とさせる獣人ベア・ウルフ。

認定
AUTHORIZATION

▲右：悪臭を放つフロリダ州の獣人スカンクエイプ。オランウータンの誤認ともいわれたこともあるが、同地にはオランウータンはいない。左：同じく悪臭獣人フォウク・モンスター。アーカンソー州に出没した。
◀フォウクモンスターの足跡を型どりしたもの。

▲上：2007年、ペンシルバニア州の森に設置されていた監視カメラがとらえた謎の獣人ジェイコブズ・クリーチャー。下：オハイオ州を中心に目撃されている神秘的な獣人グラスマン。2013年に撮影。

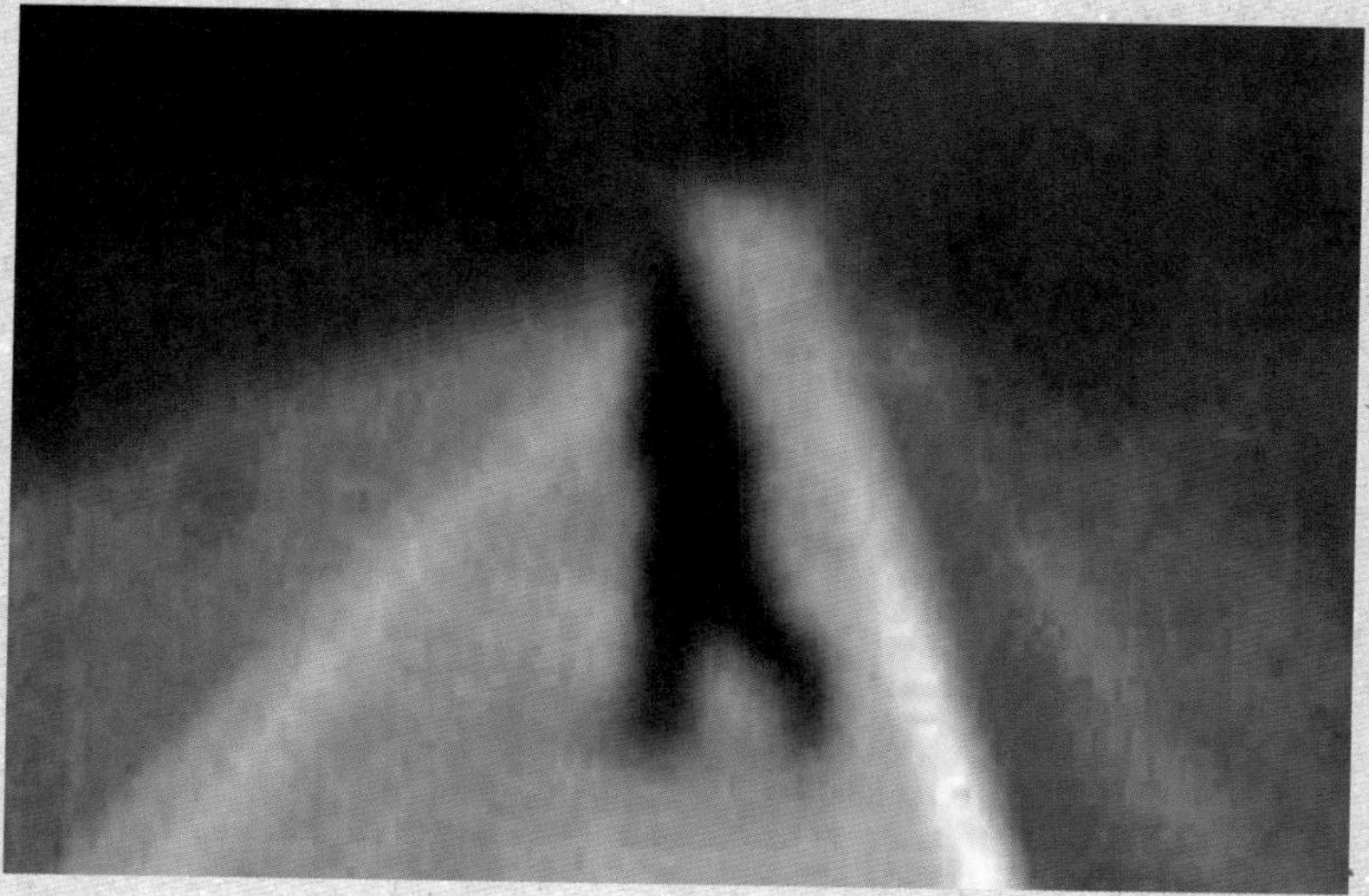

▲▶上：ノースカロライナ州で2009年ごろより行動を活発化させているノビー。写真は、道路を横切っているところ撮影された。右：目撃者によるノビーのスケッチ。

UFO、そして異星人は、いるのか？　いないのか？　そんな疑問に対する議論は、真剣なものから娯楽的な話題、子供からの純粋な問いなどの形をとりながら日常のさまざまなシチュエーションで、今もだれかが繰り返しているだろう。これはすなわち、真偽はさておいても、UFOの存在は人々の関心をそそるものであり、そして、われわれの潜在意識は、UFOや異星人の気配を常に感じ取っているからなのかもしれない。

ということは……そう！　UFO、異星

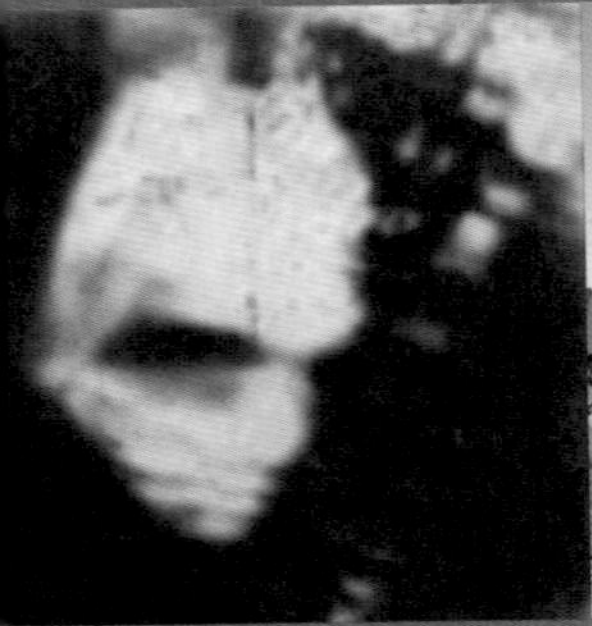

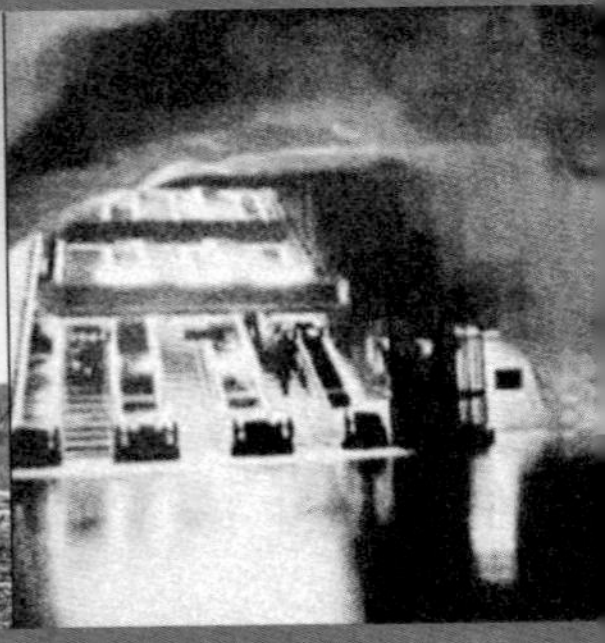

七不思議

人は、実在するのだ。だがしかし、すべてが解明されているにはほど遠い状況である。異星人が地球に現れるのは、何を目的にしているのかも不明であり、UFOにいたっては地球外のものばかりとは限らない。とにかく不思議に満ちている。

そんな謎のUFOをテーマに、「ムー」では「ダルシィ地下基地」、「エリア51」、「UFO回廊」、「ロズウェルの聖杯」、「ポポカテペトル山」、「ディグロッケ実験場跡」「タイのカオカラー山」を7つの不思議として認定した。

No.0000036-No.0000042

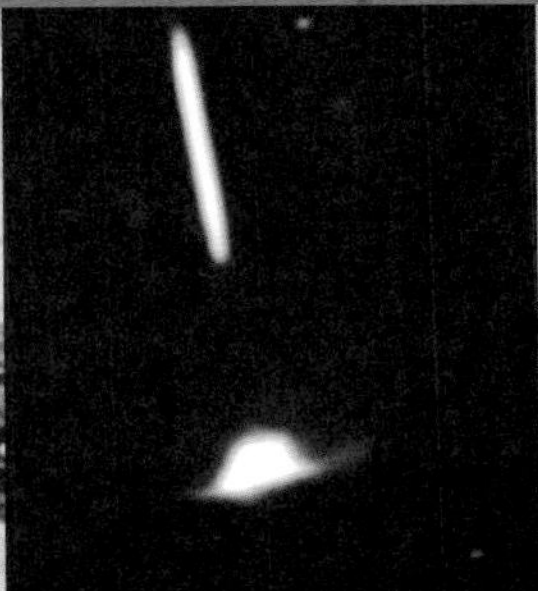

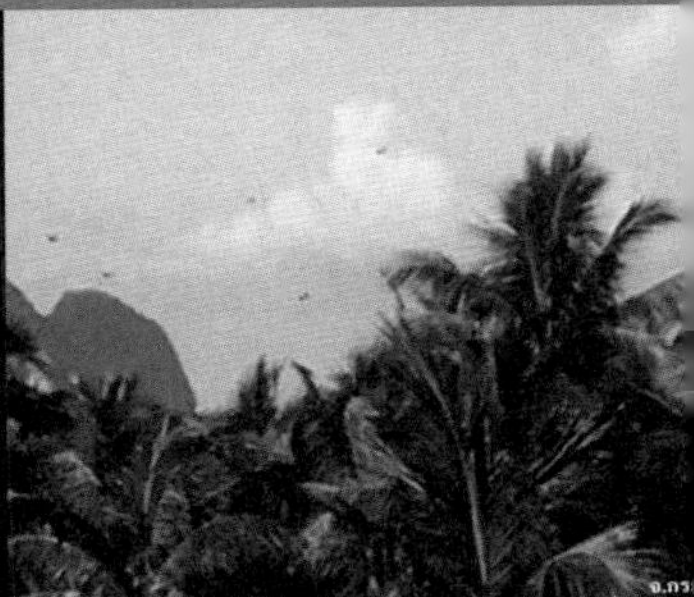

6章 UFOの

ダルシィ地下基地

米軍政府と異星人の共有研究施設

No.000036

アメリカ、ニューメキシコ州ダルシィには、「ルナ」と呼ばれる米政府と異星人の共有地下基地があるという。1940年代に異星人と政府の間で、〝条約＝密約〟が交わされ、異星の高度なテクノロジーと引き換えに、生体実験を目的としたアニマル・ミューティレーションや人間のアブダクションを許可したのだ。このときルナは建設された。

情報は、基地内から脱出したエンジニアたちのリークで明かされた。地下基地はダルシィから4キロ北東のアーチュレタ・メサの地下にあり、幅約30キロ、長さ8キロという広大な基地内を高速でチューブ状シャトルが行き来し、近くの「ロス・アラモス研究所」ともリンクしているという。さらに7階構造で、2000人を超える異星人が作業をしていることが判明した。

1階は車両の保管庫、2階は基地のオフィス、トンネル掘削機やUFOの保管庫だ。3階は政府機関が占有し、4階では人間の精神や夢の管理、催眠術、そしてテレパシー研究などが行われている。5階では人間の体の部位が液体で満たされた巨大な容器に入れられ並べられている。数千単位の檻に多くの人々が閉じ込められていて、ときには肉体を切り分けられ、基地内の異星人たちの食料となるという。

6階は、遺伝子研究専用の施設で、異星人と人間、人間と動物の交配実験が行われている。魚や鳥などが遺伝子組み換えで姿を変えられ、別の生き物にされている。また、数本の腕や脚を持つ人間、コウモリのような翼を持つ人間がいるという。

7階は、食料用の子供を含む多数の人間が冷蔵保存されている。また胎児レベルで大量のクローンを作り、ある程度の大きさまで薬液の中で育てる。労働可能なまでに肉体が成長した時点で薬液から出され、すぐに奴隷として作業に就かされるという。

情報では、ダルシィと同様の地下基地は、アリゾナ、コロラド、ユタの各州にもあるという。

ム認定 AUTHORIZATION

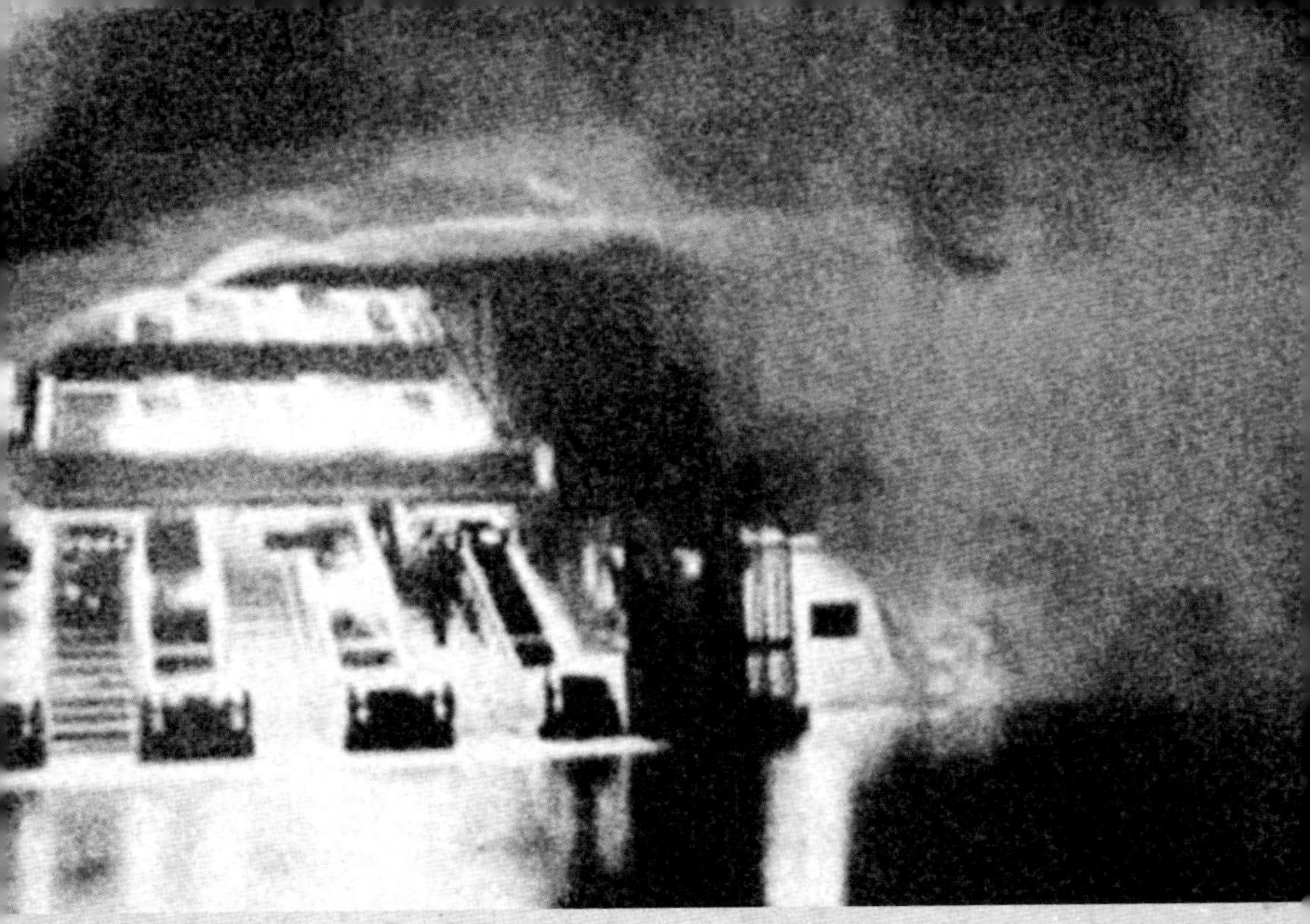

▲ダルシィ地下基地の6階の一部を撮影した写真とされる。ここでは生体実験が行われている。

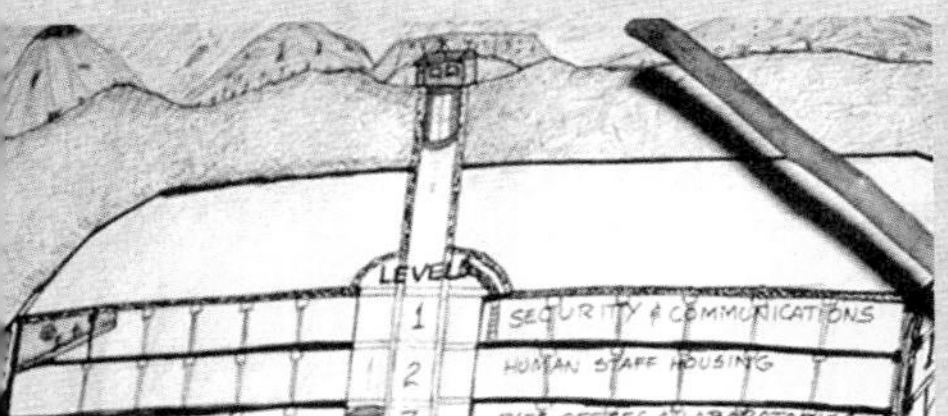

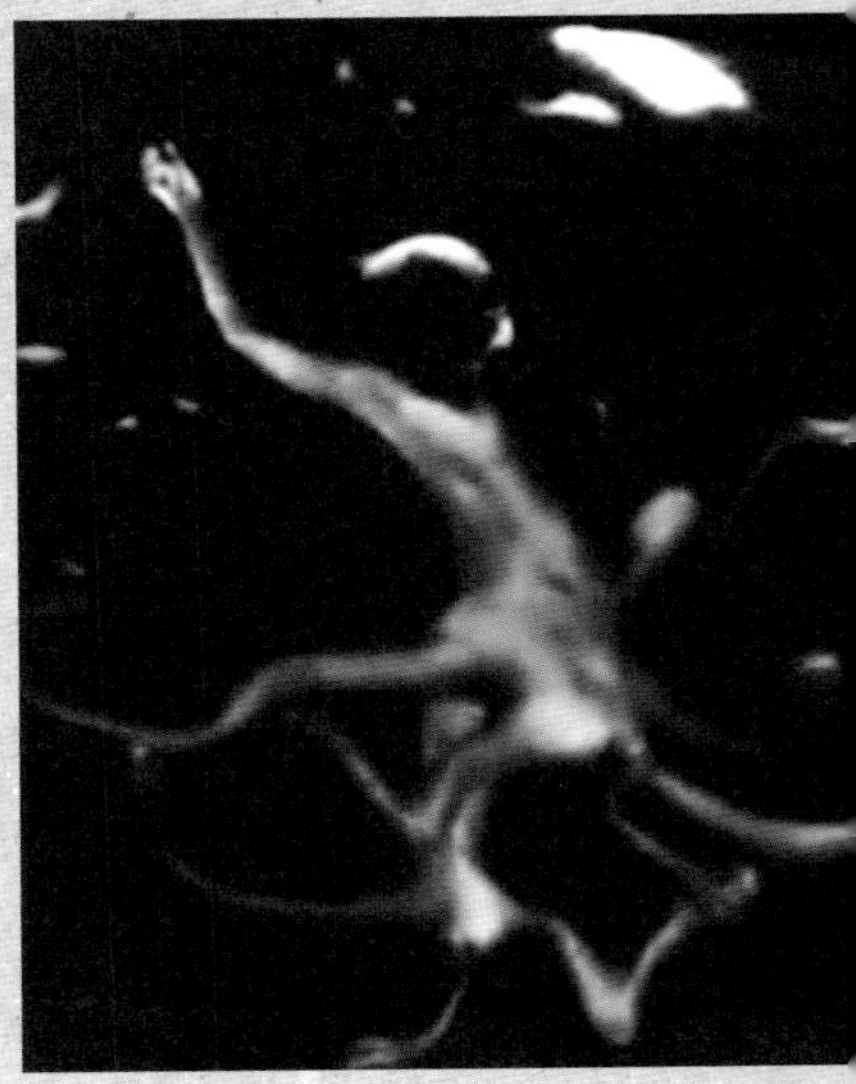

▲▶右：ダルシィ地下基地6階で創造されたキメラ〝タコ人間〟。左：ダルシィ地下基地は、全部で7階建て。それぞれにさまざまな目的をもって地球人と異星人が使用している。

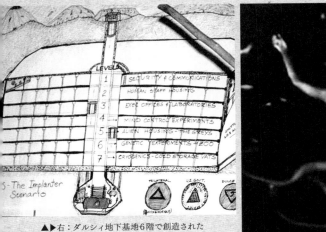

エリア51

秘密兵器とUFOの開発基地

No.000037

米軍最大の秘密基地「エリア51」は、アメリカ、ネバダ州ラスベガスの北西約150キロの地にある。

2013年にCIAがその存在を公表したが、ここが次世代航空機や秘密兵器の開発実験施設であることは周知の事実で、ステルス機や、ドローンなどが開発・実用化されている。だが、これはあくまで「表の顔」で、エリア51には「裏の顔」がある。実は、墜落したUFOが運び込まれ、人間と異星人がUFOの共同開発をしているというのだ。

1989年3月、テレビ番組でその事実を暴露したのが物理学者ロバート・ラザー。彼はエリア51の地下施設「S－4」で、地球製UFOの研究・開発に関与していたと証言。さらに「基地内に異星人がいる！」と断言し、エリア51の存在を一夜にして知れわたらせた。

その後も「S－4の陰謀」を明かす証言者が登場。1990年、オハイオ州にあるライトパターソン空軍基地のエンジニア、ビル・ユーハウスが、テレビ番組で「1958年から1988年にかけて、〝模擬空飛ぶ円盤〟の操縦訓練計画に従事していた」と発言。この飛行訓練のリーダーを務めていたのは異星人だったと指摘。会話は、すべてテレパシーだったという。

また、異星人の存在はS－4内で最高機密に属する研究をしていたという微生物学者のダン・バーリッシュ博士も主張した。1994年、「末梢神経障害」に侵された異星人の治療法の開発に専念していたという。また、2014年8月、ロッキ

ード・マーティン社の上級科学者でステルス戦闘機の開発に携わったボイド・ブッシュマンが、エリア51でUFO開発チームにいた経験と異星人の存在について、写真を公開しながら告発した。

　彼らの証言が事実なら、異星人のテクノロジーを取り入れたアメリカのUFO開発も含めた陰謀は、今日も着実な進歩を遂げていることになる。ちなみに周辺は、「UFOが出現する」という噂を聞きつけ、多くの人々が訪れる「観光名所」になっている。

▲アメリカ、ネバダ州にある秘密基地エリア51。2013年に公表されるまで、〝地図にない極秘軍事施設〟とも呼ばれていた。

▲右：微生物学者ダン・バーリッシュ。S-4の異星人の末梢神経障害の治療の研究に従事していたという。左：エンジニアのビル・ユーハウス。かつて、異星人の指揮のもと、空飛ぶ円盤の操縦飛行訓練を行っていたことをテレビ番組で暴露した。

◀エリア51で長年暮らし、地球外の高度な技術や知識をアドバイスしているとされる異星人。1980年代に撮影された。

認定
AUTHORIZATION

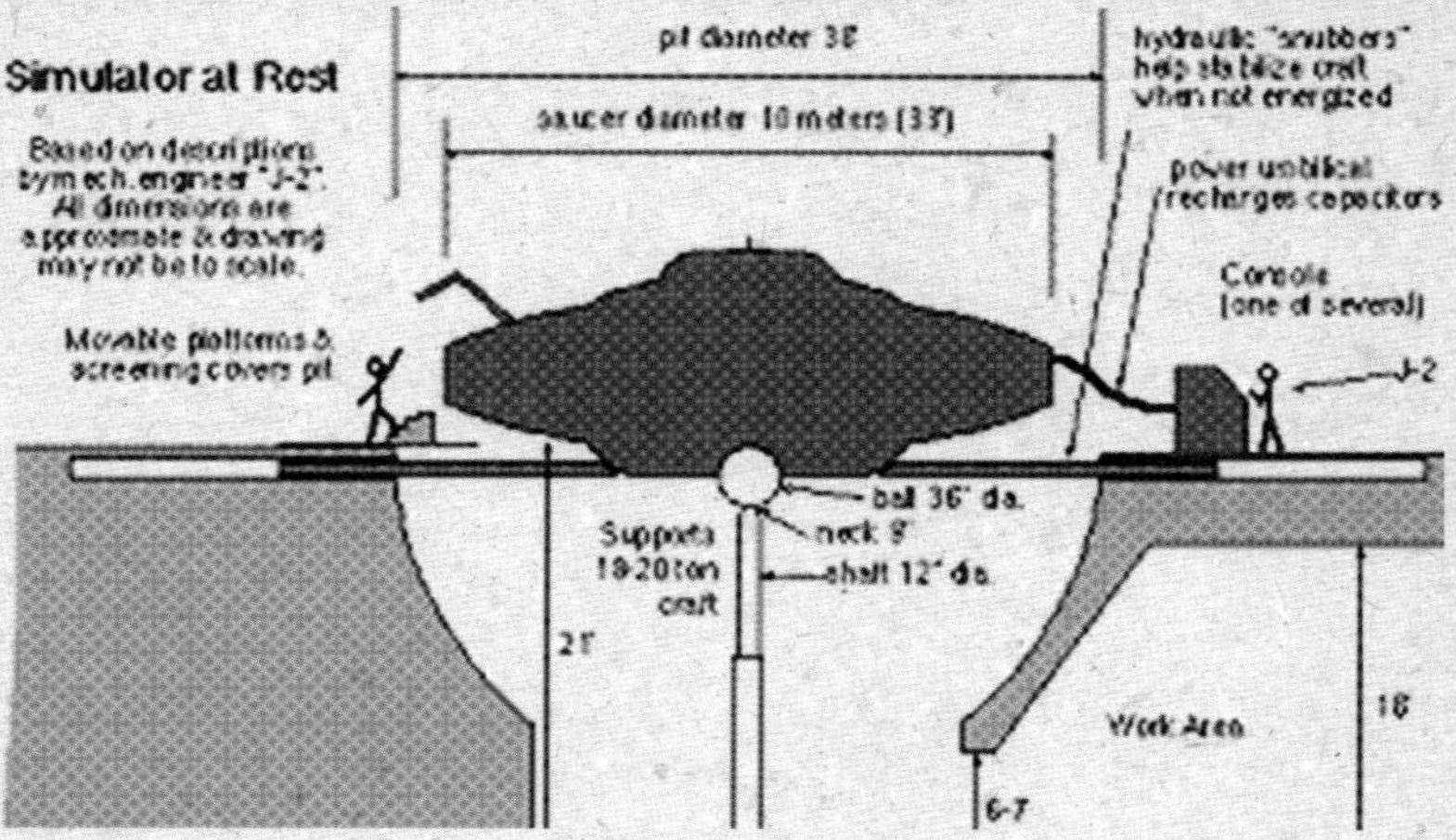

▲上：エリア51内の地下研究施設S-4の内部。画像はUFOシミュレーターの組み立て中の様子だという。下：UFOシミュレーターの図解。基地で暮らす異星人からその知識・技術はもたらされた。

ウェールズのUFO回廊

ミステリー・トライアングルの一角

No.000038

2009年3月、イギリス、ウェールズ地方の牧草地帯にUFOが現れた。シュルーズベリーとポーイスを結ぶ80キロほどの範囲で、辺りは「UFO回廊」と呼ばれていた。ゾーンの中心付近に位置するラドノール・フォレスト一帯では、真夜中に球形の発光体が飛び回り、農家のヒツジが襲われて、目や耳を皮膚ごと切り取られ、内臓までもがえぐり取られて殺害されるというミューティレート事件が発生。3月12日から13日にかけて地元の研究家フィル・ホイルとマイク・フリーベリーはラドノール・フォレストで、この発光体の撮影に成功した。それればかりか。発光体から発せられたレーザー光線がヒツジを襲う瞬間までも目撃したのだ。

実は、このUFO回廊を含むウェールズには、地元で有名なUFO頻発するミステリーゾーンが存在している。シュルーズベリーとグロスター、そして南西のセント・ブライズ湾を結ぶ三角形は、かつて「ウェールズ・トライアングル」と呼ばれていた。つまり、UFO回廊もまた、このゾーンにおけるミステリーのひとつでしかなかったのだ。

ここでは1970年代後半から、UFO目撃事件が頻発。とりわけ1977年は、特筆すべき事件が顕著に起こった。なかでも2月4日、ブロードヘブン小学校で児童15人が葉巻型のUFOを目撃。窓まで見えたと大騒ぎになった。それから20数年たち、再び同じゾーン内で事件が多発。これは「ウェールズ・トライアングル」復活の証だった。

UFOの正体は、プラズマ状の物質で形状が変わるある種の生物という仮説があるが、フィルたちが撮影した発光体の正体もプラズマ生命体とする説が流布した。これは、通常は成層圏よりも上の空域に生息するが、時折、低空に降りてくるという。UFO回廊に現れた発光体の正体は、プラズマ生命体だったのだろうか。復活した「ウェールズ・トライアングル」内で、多発するだろう事件の続報を待ちたい。

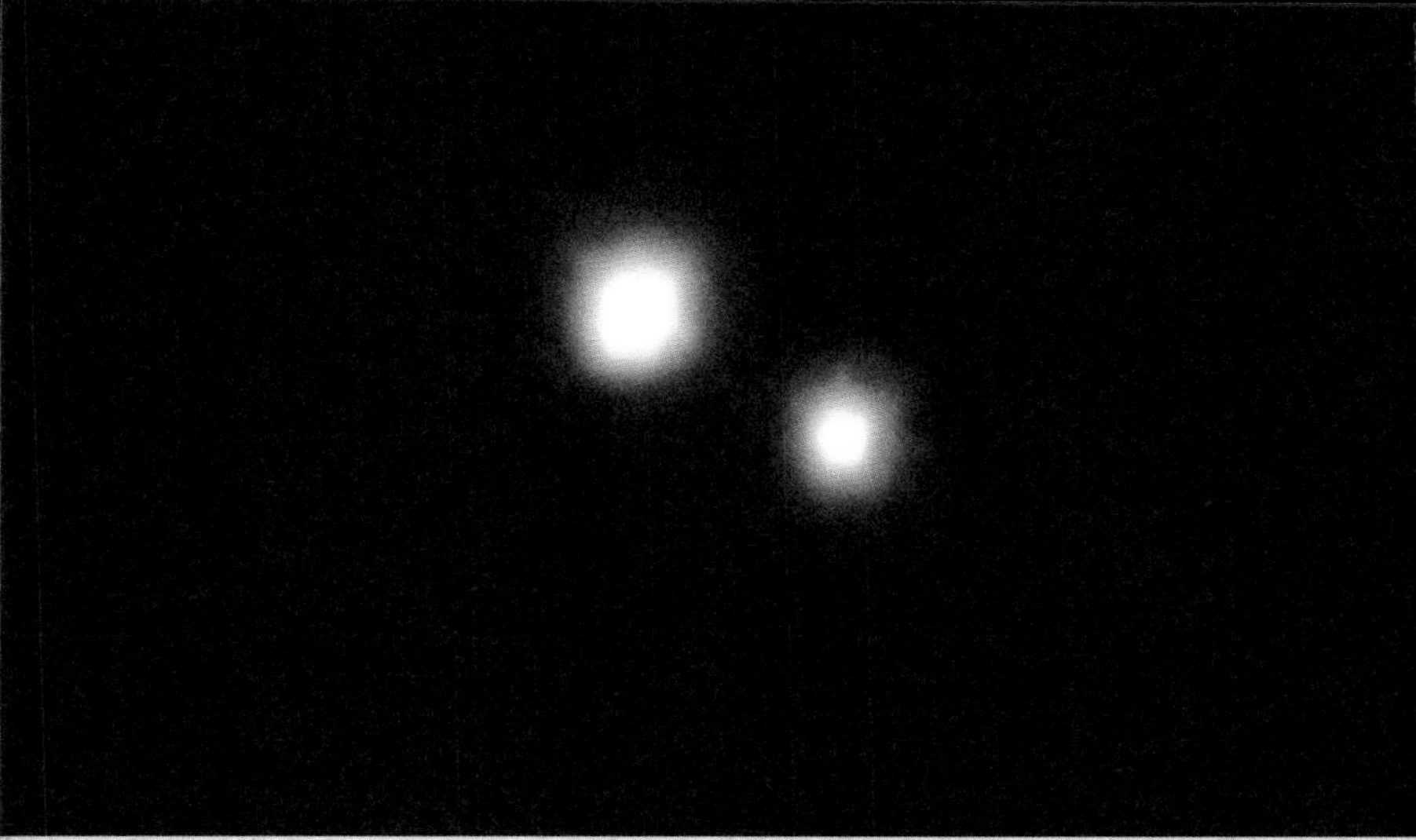

▲イギリスＵＦＯ回廊に出現したプラズマ生命体と見られる謎の発光体。これはひとつの発光体がふたつに分かれたもの。

▶上：ウェールズの牧草地帯で、発光体出現の後に全身を切り裂かれて死んでいたヒツジ。下：ウェールズ・トライアングルの地図。シュルーズベリー、セント・ブライズ湾、グロスターを結ぶエリアにはＵＦＯが多発している。

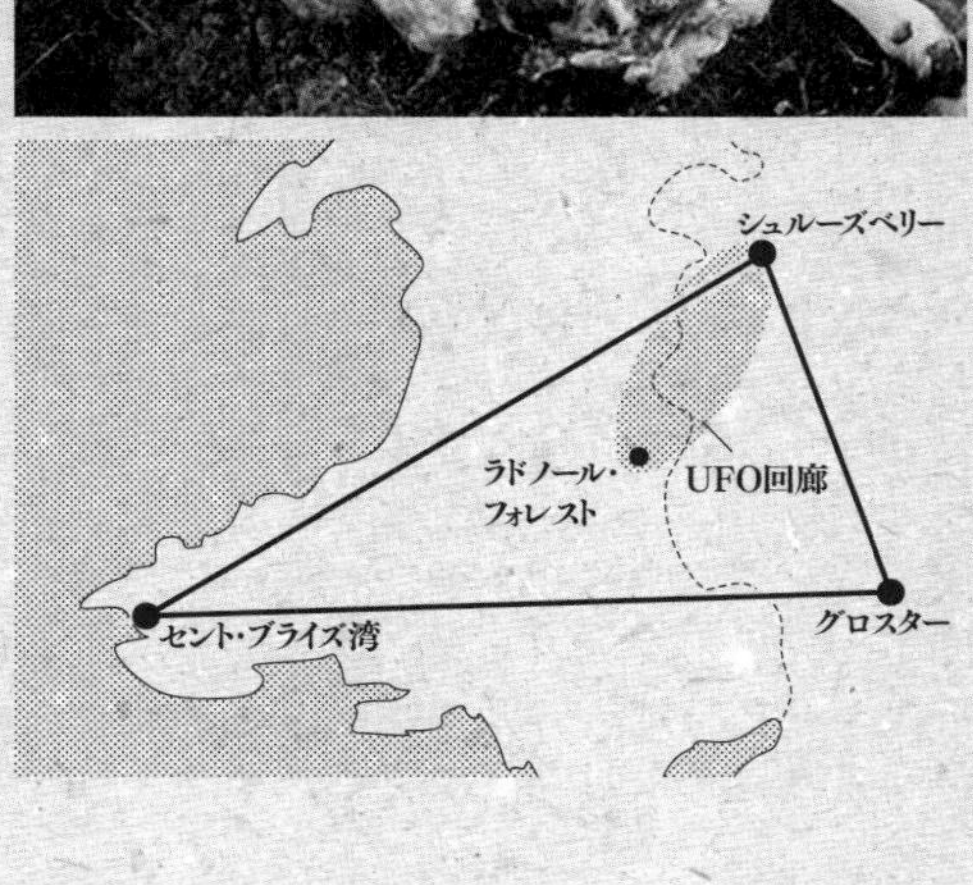

ロズウェルの聖杯

事件現場に眠る真相を秘めた物証

No.000039

1947年7月、アメリカ、ニューメキシコ州ロズウェルのフォスター牧場に謎の物体が落下、牧草地の1キロ四方には奇妙な残骸が散らばっているのが発見された。いわゆる「ロズウェル事件」騒動は〝この現場〟から始まった。

大量の残骸は小さな断片で、軽くて薄くて強固。銀紙に似ていたという。また、小さな鋼材（I型鋼）に似たものもあり、この内表面には奇妙な文字が浮き彫りされていた。

気球落下説を主張した空軍は、残骸は超軽量スーパーストロング素材であり、文字に見えたものは花模様の粘着テープ。当時は気象観測用のレーダー用ターゲットを支えるバルサ材は粘着テープで補強されていた、と説明したのだが――

実は、目撃者が語る残骸には、分析せずとも地球外人工物であることが瞬時にわかるものがある。それが、ドン・シュミットらリサーチャーたちが「ロズウェルの聖杯」と呼ぶ、一種の形状記憶合金の存在だ。

目撃証言に共通するのは、薄くて軽く、銀色で、片手で丸められるが、置くと皺が伸びてもとの形に戻り、皺も残らないという点だ。しかも切る、燃やす、変形させた状態を長時間保つこともできない。

事件当時、そんな性質をもつ物質は知られていないし、21世紀の現在でも存在しない。これぞ、〝ロズウェルの物証＝聖杯〟なのである。

ロズウェル事件は、軍人も含め、何人もの事件関係者が堂々と本名を名乗り、真相を語り、宣誓供述書にサインをしている、これだけ多くの身元が確かな人々の証言を得られたUFO事件は、この事件をおいてほかない。そしてまた別の場所で発見された墜落機体と異星人の遺体回収の話の数々――。多くに証言から導きだされる事実は、やはり地球外の宇宙船の墜落という結論にたどりつくしかない。

残るはただひとつ〝物証〟の提示だ。シュミットらのチームはたびたび現場を調査している。いずれ「物証＝聖杯」が発見されるだろう。

▲2015年、〝ロズウェルの聖杯〟を探索中のドン・シュミットとリサーチャーたち。結局、このときの調査では物的証拠を得ることはできなかった。
▶フォスター牧場で、過去に発見された金属片（左）。牧場に落ちていたものとしては奇妙な印象を与えるが、地球外起源が100パーセントとは特定されなかった。

No. 000040

ポポカテペトル山

ＵＦＯが多発するメキシコの聖なる火山

世界有数の「ＵＦＯ出現多発地帯」、メキシコのプエブラ州の活火山ポポカテペトル。この聖なる山の近くに設置された火山活動監視用ビデオカメラが、驚くべき光景をとらえた。

２０１２年10月25日午後８時45分ごろ、標高５４２６メートルのポポカテペトルの火口めがけて白色で巨大な円筒形のＵＦＯが降下し、その直後に火山が激しく噴火したのだ。この映像はすぐにテレビのニュースなどで報じられ、大騒動となった。映像を分析した国際天文台およびメキシコ国立自治大学の天文学者によれば、物体の大きさは長さ約１キロ、幅２００メートルという超巨大な物体であることがわかったのだ。

この事件後、１週間にわたり噴火が続き、地元では「ＵＦＯが落下したせいだ。火口の底にはＵＦＯの秘密基地がある」と噂された。

また２０１３年５月30日午後８時38分すぎには、火口に飛び込むＵＦＯが監視用カメラに記録されている。目撃者によれば、火山上空の右手方向から２機の白く脈動するＵＦＯが出現、１機が左手方向の火口に移動し、火口の真上で急旋回すると吸い込まれていった。

そのＵＦＯだが、実は火口に進入していくばかりではない。２０１２年11月15日、なんと監視カメラが火口から垂直に飛びだしていくＵＦＯを捉えている。火口からマグマが噴きだしはじめると、２機の超巨大ＵＦＯが、火口から発進していったのだ。これは噂どおり、火口内部にその発進基地が存在していることを示唆させずにはおかない。つまり、火口は、地下基地から飛び立っ

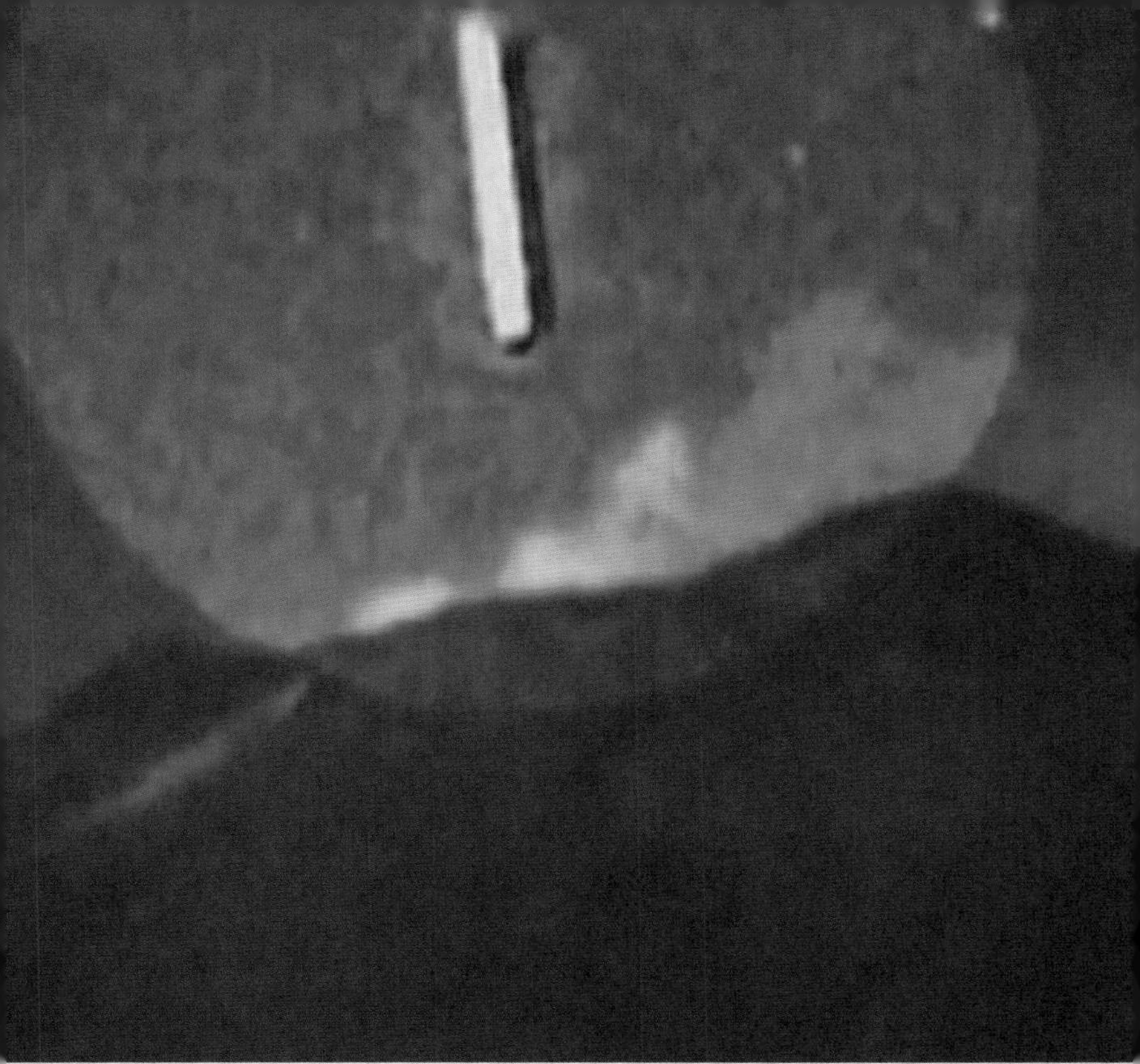

▲2012年10月25日 午後8時45分ごろ、ポポカテペトル山の火口に降下する巨大円筒形UFO。

たUFOの帰還先であり、同時に発進元でもあるのだ。

UFOは、地底文明からやってくるという「地球内部飛来説」がある。2013年6月、元CIA職員エドワード・スノーデンは、地底世界と地底人に関する機密文書の存在と、その中身をマスメディアにリークした。UFOが地球内部から発進し、そこに地底世界が存在するというのだ。ならば、そこに住む地底人とは何者なのか？ 火山内部が調査されれば、その真実が明らかになるだろう。

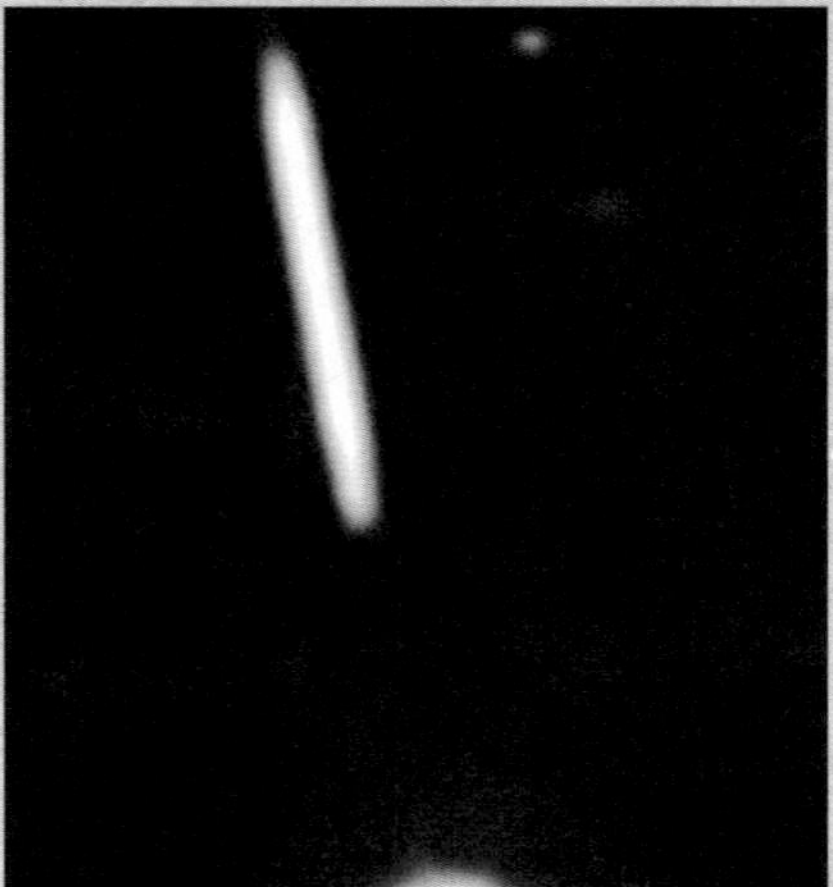

▲2013年5月30日午後８時38分すぎ、ターンして火口に吸い込まれていくＵＦＯ。
◀2012年11月15日に、火口から飛び出していくＵＦＯ。火口内部には、ＵＦＯの秘密基地があるのだろうか？

ム認定
AUTHORIZATION

▲上：噴火するポポカテペトル山。ＵＦＯの突入もしくは発進が原因となっているのかもしれない。
下：エドワード・スノーデンの暴露を報じる新聞。彼は地底世界と地底人の存在についても明かした。

ディグロッケ実験場跡

ヒトラー最後の最高機密超兵器

No.000041

ポーランド南部のルドヴィコヴィッチュ村のヴェンツェシュラスコ廃坑付近に、〝ヘンジ〟と呼ばれる鉄筋コンクリート製の枠組み構造物がある。これは、かつてディグロッケの実験場跡だったとされている。

ディグロッケは第2次世界大戦末期、ヒトラーの命で、ナチスSSの科学者たちが極秘に開発を急いだ〝秘密兵器〟のことだ。反重力推進機構を備え、時空間航行も可能にし、核兵器をも搭載する超高性能兵器

ディグロッケは、幅約2・7メートル、高さ3・6～4・5メートルの巨大な釣り鐘に似た形状だったことから〝ナチス・ベル〟とも通称されている。

この装置は大量の電力が投じられて作動するが、その際に強力な放射線と電磁波を放つため、最初の実験で、それに晒された数名の科学者が死亡。また、実験に供された植物や動物も、数分から数時間で、黒いドロドロした物質に分解したという。さらに、同時に生じた反重力効果が装置内外に影響し、時間と空間が変質したという。

この超兵器の開発は、1944年12月、最終開発地点であるヴェンツェシュラスコ廃坑の秘密基地デアリーゼで本格的に実施されたが、敗戦濃厚になった1945年4月、開発最高責任者のハンス・カムラーはヒトラーの命で、科学者を含む、関係者60数名を銃殺、地下壕も破壊、兵器開発に従事していた囚人らとも闇に葬ってしまったという。

そのカムラーだが、「ペーパークリップ作戦」に乗じて、ナチスの最高機密ディグロッケの開発研究資料を奪って、密かにアメリカに亡命していたらしい。なぜなら、1965年12月9日、アメリカ、ペンシルベニア州のケクスバーグ郊外にディグロッケが墜落しているからだ。墜落した機体に、ナチスが研究していたルーン文字が刻まれていたことからも、間違いないだろう。

この事件から50年以上の歳月が経った今、ディグロッケは宇宙空間や時空間を自在に行き来するほど、進化している可能性もある。

▲ナチス・ベルとも呼ばれる、ナチスの最終にして最高機密の秘密兵器、ディグロッケ。
▶ナチス総統ヒトラーからディグロッケ開発の最高責任者を命じられたハンス・カムラー。兵器開発の情報をもってアメリカに亡命したといわれる。

▲上：ヘンジと呼ばれるディグロッケの実験場跡は、ポーランド南部のルドヴィコヴィッチュ村のヴェンツェシュラスコ廃坑付近にあった。下：ヴェンツェシュラスコ廃坑の内部。

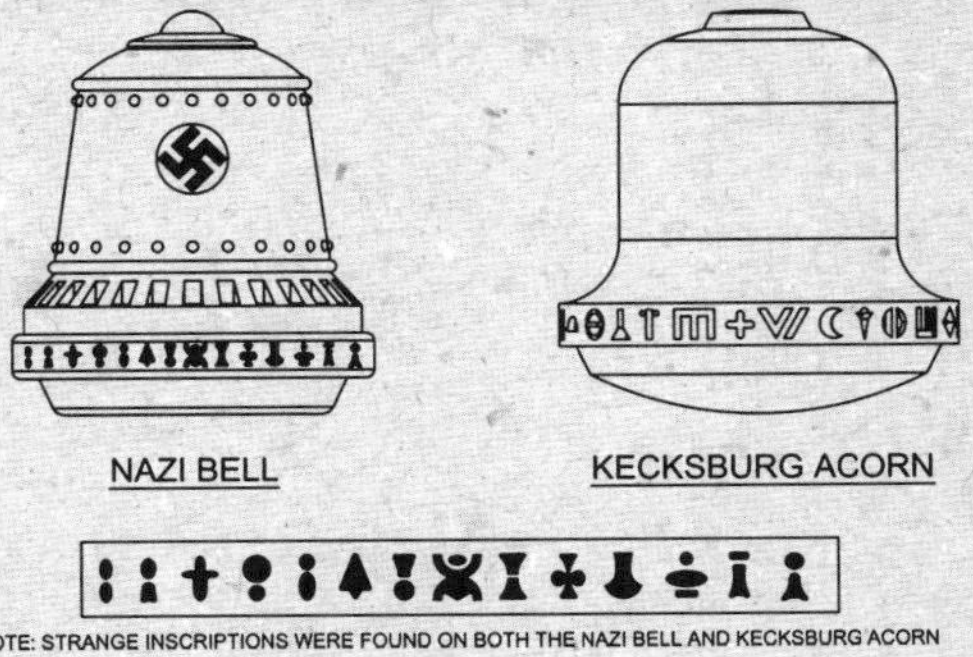
NAZI BELL
KECKSBURG ACORN
NOTE: STRANGE INSCRIPTIONS WERE FOUND ON BOTH THE NAZI BELL AND KECKSBURG ACORN

▲▶上：1965年12月9日、アメリカ、ペンシルベニア州のケクスバーグ郊外にディグロッケが墜落した、ケクスバーグ事件の再現イラスト。右：ディグロッケ（左）とケクスバーグの落下物体（右）の形状を比較した図。ナチスが研究していたルーン文字のようなものも見られる。

▼福島県で撮影された謎の飛行物体。その形状は、ディグロッケを彷彿とさせる。完成し、密かに全世界を飛行しているのか？

タイのカオカラー山

異星人と交信し人類を救う組織

No. 000042

タイ中部の「カオカラー山」は、タイ有数のUFO多発スポットだ。丘にUFO観測所があり、チュンサムン一家による組織「UFOカオカラー」が管理する。彼らはタイ仏教のヴィバッサナーという瞑想法を通じてUFOを呼び、チャネリングで異星人と交信するのである。

UFO観測所は1997年に、元警察巡査のチュアー・チュンサムンが創始。彼の死後、娘が中心になって運営している。

チュンサムン一家が最初にUFOと遭遇したのは、1997年12月2日、チュアーの意識の中に異星人が現れ、交信してきた。次いでUFOが1週間続けて姿を現し、一家はUFOと異星人の存在を確信した。

同月13日、一家がラムカムヘン大学の公開講座に参加した際、チュアーの息子チューチャが「午後6時、大学上空にUFOが出現する」というメッセージを受けた。講座参加者らが固唾を飲んで見守ると、予告10分前に三角形のUFOが出現、不規則に飛び回って姿を消していった。事件はニュースに取り上げられ、一家は一躍、時の人となった。

その後もチュアーは瞑想によって何度も予告どおりにUFOを出現させてUFOカオカラーの名をタイ国内に浸透させていった。

そして2004年12月16日、テレビ番組にUFOカオカラーのメンバーが登場し「異星人の忠告で、大きな地震や津波に注意するように」と警告した。その10日後、あのスマトラ地震が発生。預言が当たったことでUFOカオカラーは話題となり、メンバーが増加、UFO観測会にも大勢が参加するようになった。

さらに翌2005年3月6日、カオカラー地区に異星人が出現、観測所付近を歩いている姿が撮影され、反響を呼んだ。

ちなみに、UFOカオカラーが交信している異星人は2種類。別の太陽系にあるロクカタタバカディンコン星人と冥王星人だ。彼らの交信目的は、近い将来に起こる危機的災害から人類を救うためだという。

▲カオカラー山に現れた無数のＵＦＯ。この山はタイでも有数のＵＦＯ多発スポットで、ＵＦＯカオカラーも山に観測所を置く。
▶2005年３月６日、カオカラー地区に現れた異星人。ＵＦＯカオカラーが交信する２種類の異星人のうちのどちらかなのだろうか？

ム認定
AUTHORIZATION

地球は、全宇宙でも生命が確認されている惑星のうち、とりわけ多くの生命に満ちあふれている。なかでもわれわれ人類は、唯一確認されている知的生命体である——これが、世間的な〝常識〟、多くの人々が共通して認識する公式的見解だ。

しかし、はたして本当にそうなのだろうか？

多様な意見があるのは健全である。だから、認めない人、認めたくない人もいるのは当然だが……地球外の惑星からは、太古より異星人が来訪している。そうした地球を訪れた異

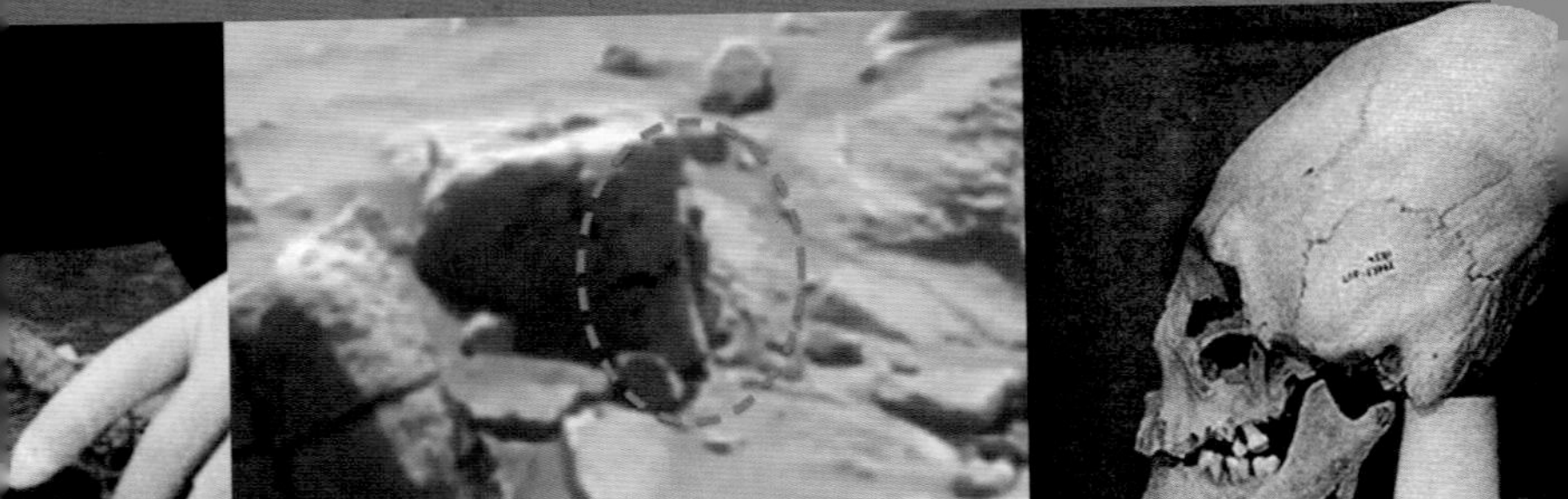

異人類

星人の系譜を継ぐ存在なのか、あるいはわれわれ人類とは別の進化を経た存在なのか、われわれの生命の歴史とは違う時代に存在したものなのか——姿形を異にする生命の痕跡は、現に見つかっている。

こうした異人類とも呼べる存在から、「ムー」では、地球や火星、さらには異次元まで視野を広げ、「長頭人」、「巨人族」、「小人族」、「シャドー・ピープル」、「火星人類」、「レプティリアン」、「エイリアン・ハイブリッド」の7種を選出、認定した。

No.0000043-No.0000049

7章 7種の

長頭人

No.000043

人類に文明をもたらした古代異星人

世界各地には故意に頭蓋骨を変形させ、長頭とする風習をもつ民族が少なくない。この〝人工頭蓋変形〟は1900年代初めごろまでフランスやロシア、北欧などでも行われていた。ところが近年、人為的なものとしては不自然に、頭頂部もしくは後頭部が巨大化した頭蓋骨の発見が相次いでいるのだ。

——1928年、ペルー南岸部砂漠地帯パラカスの墓地遺跡で、約3000年前のものと思われる長頭の頭蓋骨が、300以上も発見された。当初は人為的な変形と考えられたが、2014年に行われたDNA鑑定の結果、なんと現生人類と一致しないことが判明した。

また、2003年にも同じくペルー南岸部の洞窟から、新たに〝長頭人〟の頭蓋骨が発見されたが、奇妙なことにこの頭蓋骨は手のひらに乗るほどの大きさだった。同時に体長30センチのミイラも発掘された。その姿形は頭部が異様に大きく、あの異星人グレイを彷彿させた。

さらに、2005年、ロシアの北コーカサス、キスロヴォドークで、先住民の墓地から長頭の頭蓋骨が発見された。

2014年には南極大陸で人類の頭2個分もの長さをもつ巨大な頭蓋骨がスミソニアン学術協会の考古学者らによって発見されている。先住民の存在すら確認されていない南極で、このような人骨が発見されたこと自体驚くべき話だ。

実はこうした頭蓋骨や長頭の彫像は、エジプトなどの遺跡からも発見されている。これではかつて地球上に、人類以外に長頭人が存在したとしか思えない。

だとしたら、彼らは何ものなのか？　長頭である分、脳の容積も人類より大きいため、彼らが人類に文明をもたらした異星人である可能性を示唆する研究者も少なくない。ある研究者はそうした長頭人が人類に〝神〟として崇められ、〝人工頭蓋変形〟はその神を模した風習だったのではないかという。はたして真相はどこにあるのか？

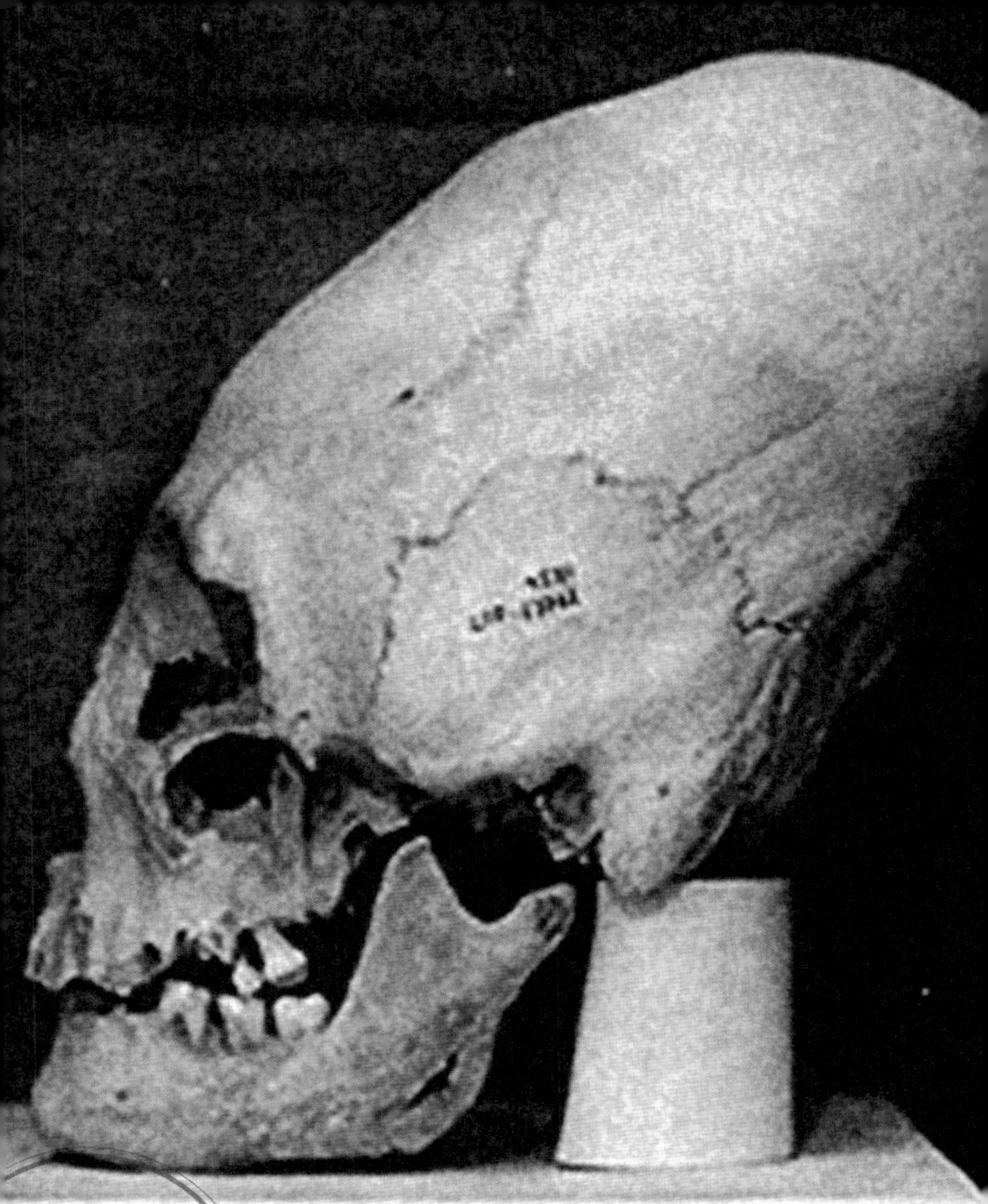

▲1928年、ペルー、パラカスの墓地遺跡から実に300以上も発見された、長頭の頭蓋骨。2014年にＤＮＡ鑑定が試みられた結果、現生人類ではないことがわかった。

認定
AUTHORIZATION

◀2003年にペルー南岸部の洞窟で発見された長頭人の頭蓋骨。手のひらに乗るほどの大きさだった。
▼同時に見つかった、体長30センチほどしかないミイラ。異星人グレイのような姿だ。

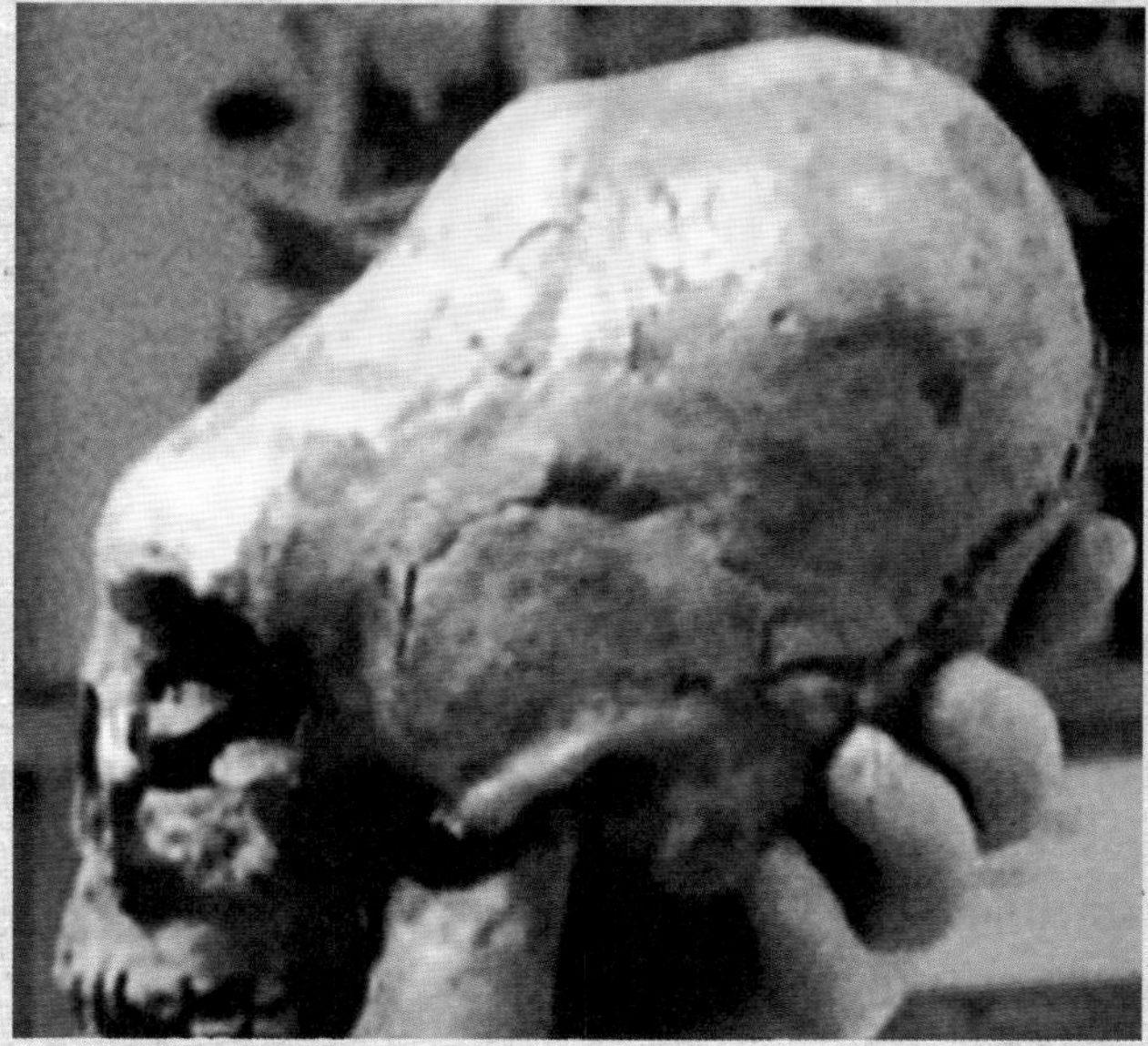

▶2005年、ロシアの北コーカサス、キスロヴォドークで、先住民の墓地から100個以上の頭蓋骨が見つかり、そのうちの3個が長頭の頭蓋骨だった。
▼アメリカ、スミソニアン学術協会の考古学者らが2014年に南極大陸発見した、長頭の巨大な頭蓋骨（左）。

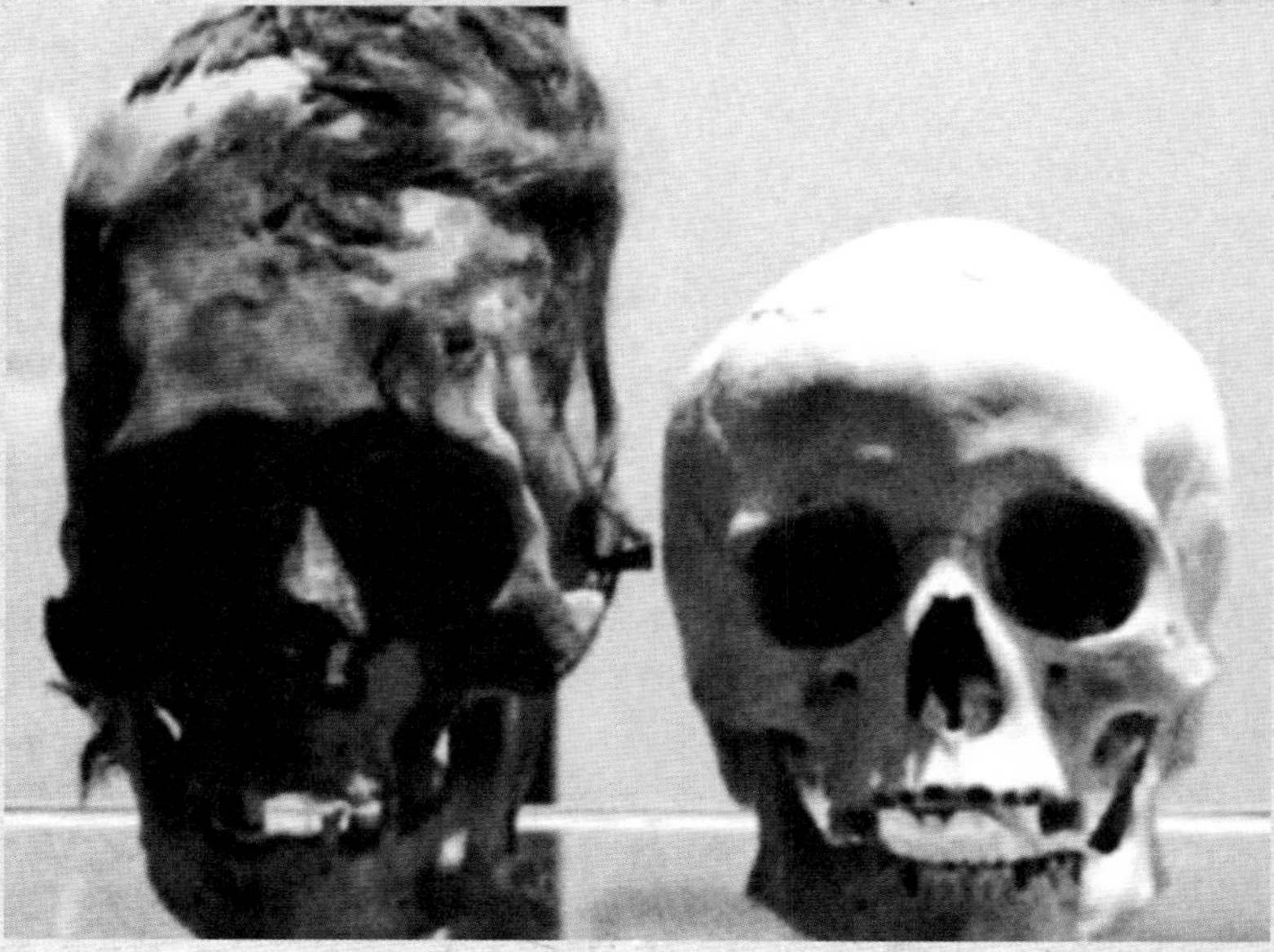

巨人族

進化論を覆す神話の住人

No.000044

巨人は、神話や口述歴史《オーラル・ヒストリー》、『旧約聖書』などで伝承されてきたが、空想上の存在と考えられてきた。だが、これを否定する証拠——巨人の骨格や足跡が、世界1400か所以上の場所で獲得されている。

とくにアメリカでは多く、1833年に、カリフォルニア州ランポック・ランチョで、推定身長3・6メートルの巨大な頭蓋骨が発見された。1982年にはテキサス州のパラクシー河流域、約1億4500万年前〜6600万年前の白亜紀の地層から、恐竜の足跡を追いかけるように続く60センチの人間の足跡が発見された。しかも、周辺洞窟から、2メートルを超える女性のミイラまで発見されている。

南アフリカ国境近くで発見された足跡はさらに巨大で、およそ120センチ。推定身長7・5メートルの巨人の足跡が、2億〜30億年前に形成されたとみられる花崗岩に刻まれていた。6500万年前までアフリカと地続きだった南米エクアドルでも、現地で〝巨人の墓〟と呼ばれるエリアから、推定身長7・6メートル、現代人の5倍ある骨が発掘されている。

これらの事実は、太古の地球を巨人が闊歩していたことを示唆する。一方、ネイティブ・アメリカンの間に、「巨人族が遠い昔住んでいて、しばしば人間の村を襲った」という伝承があることから、数千年前まで生息していた可能性が高い。

加えるなら、人間の手にあまる謎の巨大遺物——イギリスやオーストラリアで発見された巨大なハンマーや手斧、レバノンの「バールベックの巨石」のようなオーパーツも、彼らの残滓だとしたら辻褄もあう。

これほど証拠があっても、巨人の存在が認められないのは、アカデミズムが絶対視する「進化論」を根底から覆す危険があるからだ。かのスミソニアン博物館が数万に及ぶ巨人の骨を処分していたというから、いかにその闇が深いかがわかるだろう。真実が明らかになる日はくるのだろうか？

▲上左：19世紀にヨセミテ渓谷で発見された巨人ミイラ。上右：グレンローズで発見された恐竜と巨人の足跡。下：南アフリカ山中で発見された２億年前の巨人の足跡。

小人族

古代の小型原人から妖精まで

No.000045

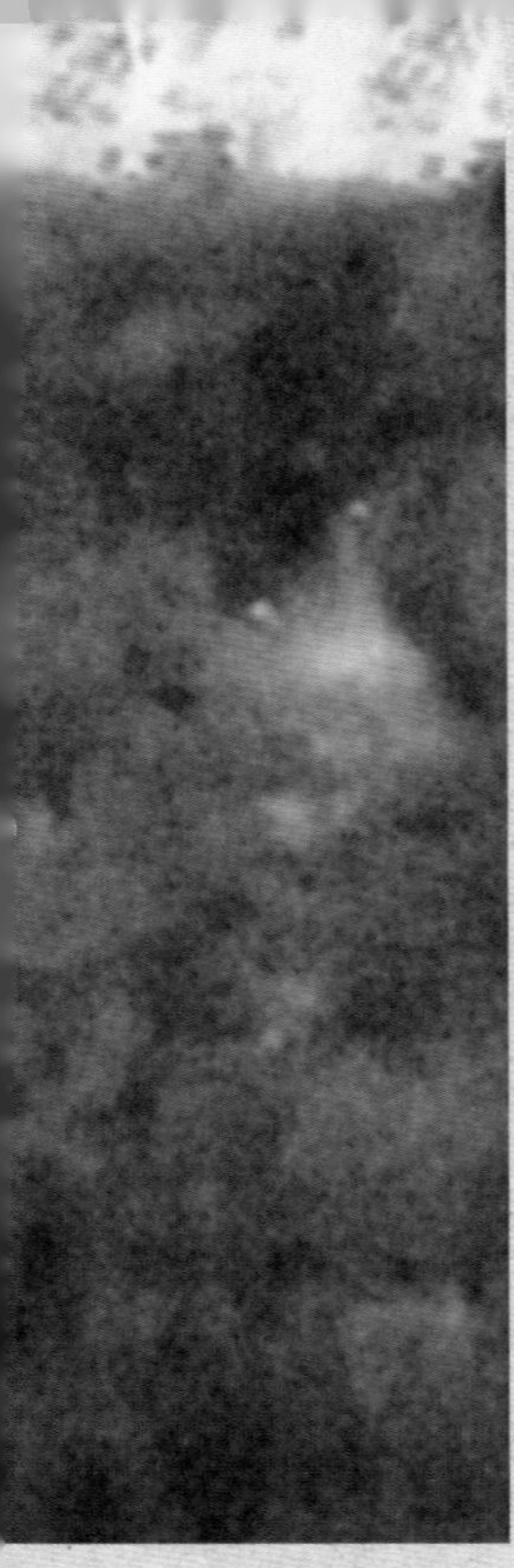

世界各地で〝小人族〟が存在していた証拠が発見されている。たとえば、2003年に南米チリの北部、アタカマ砂漠発見された全長15センチほどミイラ。DNA検査の結果、まぎれもなく〝人間〟と証明されている。

2005年8月には、イラン、ケルマーン州の都市シャウダッド近郊の古代遺跡シャーダで、〝小人集落遺跡〟と身長25・4センチのミイラが発見された。法医学検査で、16歳～17歳で亡くなった若者と判明。遺跡の壁は高さ80センチにも満たず、小さな通路、室内の壁、天井、かまど、棚に至るまで、小人にしか使えない大きさだった。

ミイラばかりでなく、実際に小人が出現した例もある。2008年3月10日、南米アルゼンチン、サルタ州のジェネラル・グエムスで、身の丈1メートルにも満たない妖精「ノーム」に似た小人が携帯電話の動画モードで撮影されている。また2014年7月2日、アメリカ、ペンシルバニア州の森の狩猟用自動カメラに、やはり体長約1メートルの「ノーム」がキャッチされた。

2014年9月17日、南米アルゼンチン、サンタフェの民家では、駆け抜けていく小人の姿が撮られているが、異界から出現し異界に消えていくとしか考えようがない映像だ。

小人族が実際に生息していたとされる証拠が2004年に、インドネシアのフローレス島で発見された。身長1メートル前後の骨格で、「ホモ・フローレシエンシス」と名づけ

▲2017年、インドネシアのスマトラ島北端のバンダ・アチェで撮影された小人（丸囲み）。

られている。

そして、2017年3月、インドネシアのスマトラ島北端のバンダ・アチェでダートロードを走っていたバイカーたちが小人と遭遇。藪に逃げ込んでいく小人を撮影した。

動画はきわめてリアルで、その正体は、17世紀にスマトラ島で絶滅したとされる、伝説の小人族「マンテ族」もしくは、ホモ・フローレシエンシスの末裔ではないかと注目されている。伝説として語られてきた小人族が今も実在している可能性が濃厚になったのである。

認定
THORIZATION

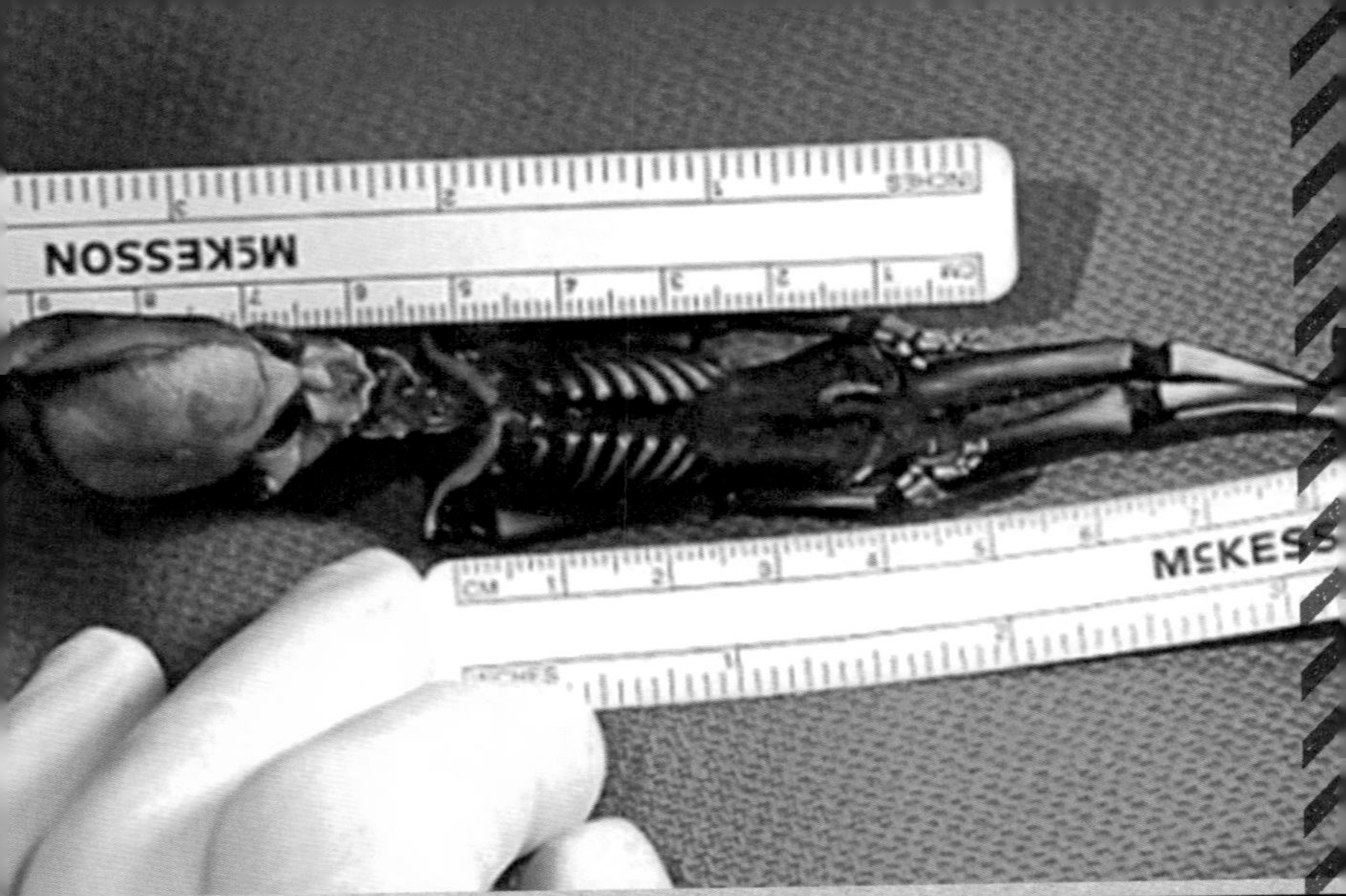

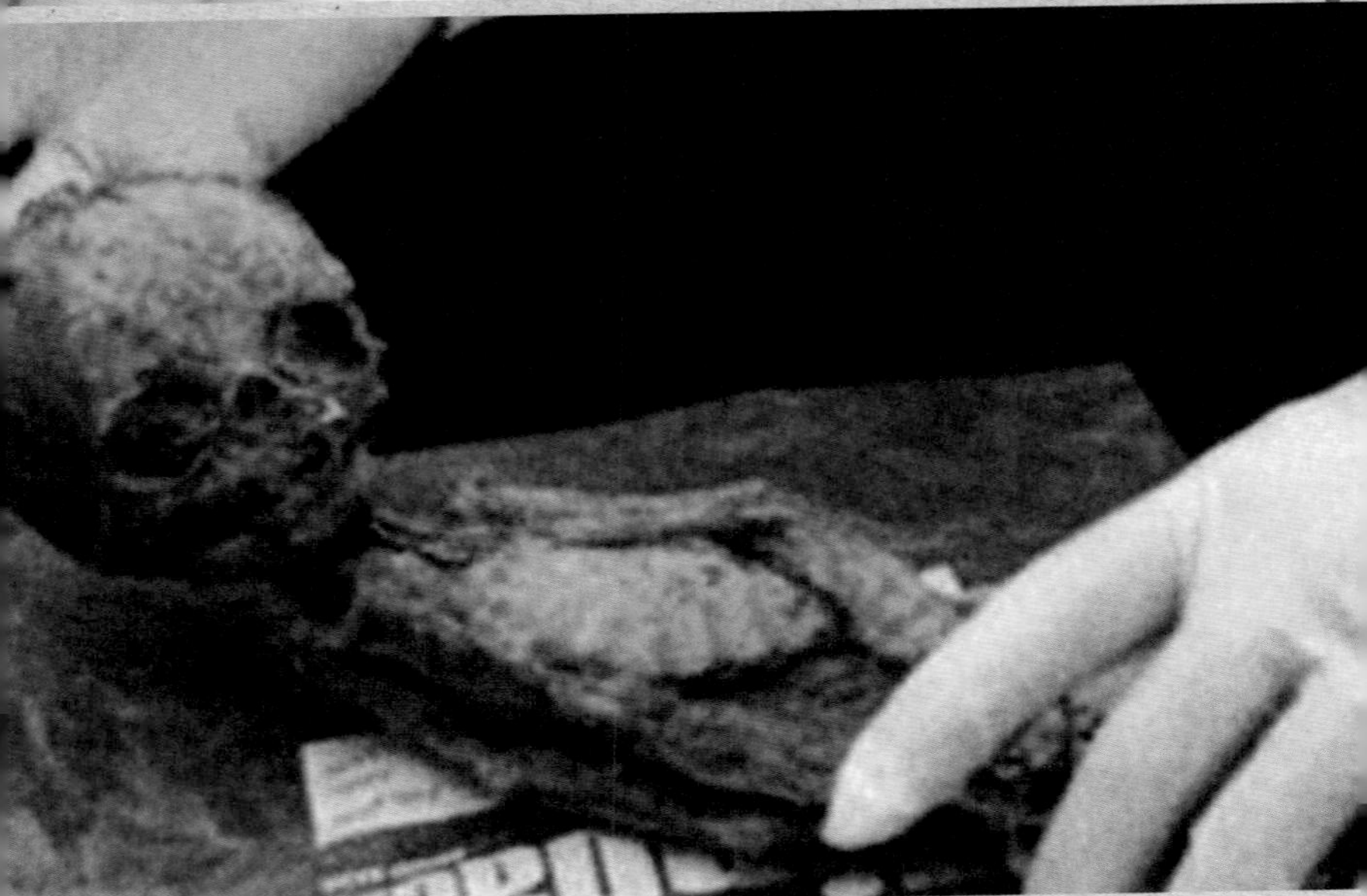

▲上：2003年に南米チリの北部、アタカマ砂漠で発見された全長15センチの「アタカマ・ヒューマノイド」のミイラ。下：2005年8月、イラン、ケルマーン州の古代遺跡シャーダで発見された小人ミイラ。

▲上：2014年、アメリカ、ペンシルバニア州の森で撮影された小人。ブタのような顔で、頭にトンガリ帽子をかぶり、赤い服を着ている。下：2014年、アルゼンチンの民家で撮影された小人の姿。

シャドー・ピープル

異次元からの来訪者

No.000046

アメリカの各地に出没・徘徊するとされるのが、「シャドー・ピープル」だ。姿形は黒く、2次元的だ。出現状況や形態、大きさは目撃事例によって異なる。以下に主な目撃事例をいくつかあげてみる。

2006年9月13日、ネバダ州パーランプ近郊の教会で、画面の中央を影のような2本の足が歩いていく様子が写真に撮られた。周囲のピントと影のブレ具合から、その足がかなりの速度で移動していることがわかる。ちなみに、周囲の人々はこの影に気づいていなかったという。

2007年7月10日午前8時すぎ、カリフォルニア州フレスノの森林公園で散歩中のビル・マックホーンは木の根元に、人の形をした黒い影を見つけた。だが、周囲に影を生じさせるものはない。気味が悪くなって帰宅した彼は原因不明の高熱を出し、数日間寝込んだという。

2014年10月、アメリカ、ワシントン州オリンピアを旅行した家族が撮った森の風景をスナップ写真に異様な風体の人影が写りこんでいた。恐ろしいことに、その右手に手斧か、鎌のような物を持っている！

シャドー・ピープルでこれまでに判明しているのは、黒い人の姿で、動きは非常に速いが、肉眼でも目撃されていること。そして、基本的には目や鼻、口は認められていないが、目の部分が赤や黄色に光っていることもあるということ。ただし目撃者の多くが単独で、瞬時に消えるといった点から、いずれも幻覚や錯覚で片づけられている。

だが、その姿が写真や映像で捉えられる事例も多く、一概に幻覚や錯覚ですまされる状況ではない。ポルターガイストなどの心霊現象を引き起こすこともあるようだ。

現在ではその正体は、2次元（平面）世界の生物の姿が、なんらかの理由でこの世（3次元＝立体）に投影されたとする「異次元生物説」や、幽体離脱した人の影とする「幽体離脱説」とされている。だが、これらは、むろん科学的に実証されたものではない。

AUTHORIZATION

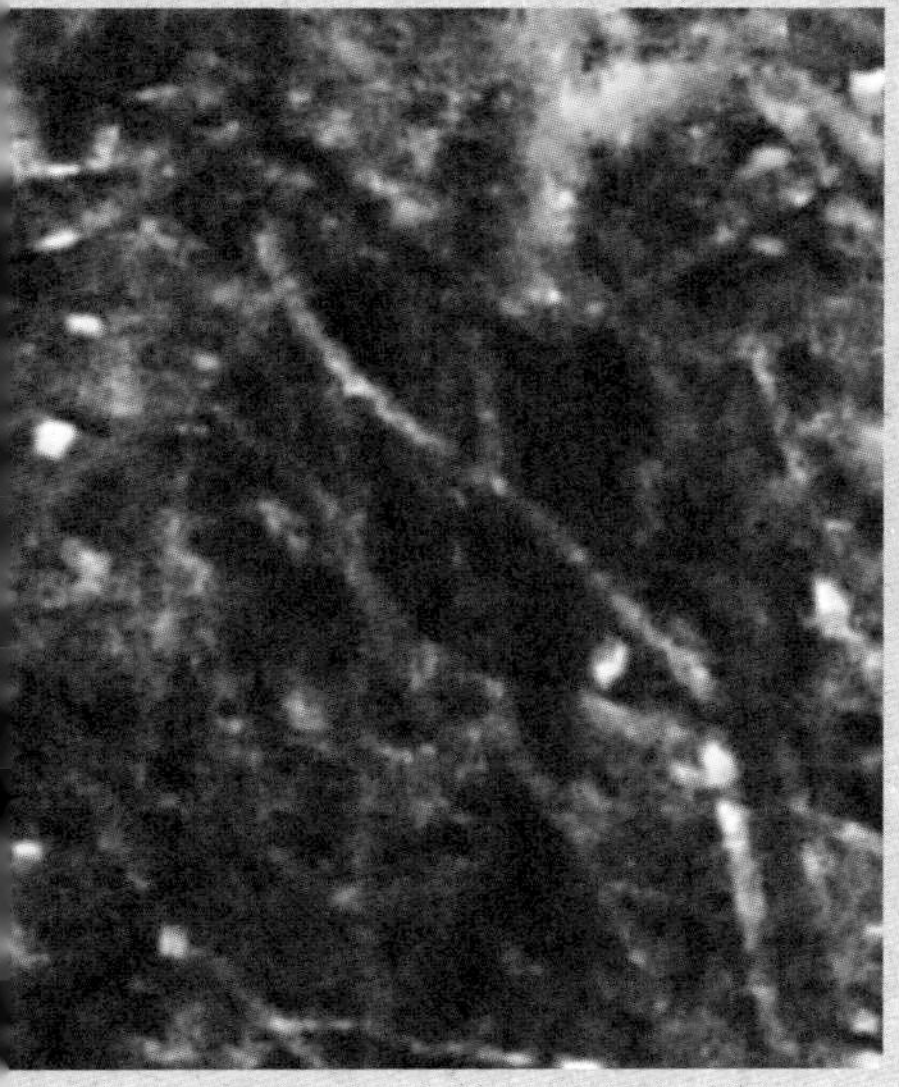

▲上：2014年、ワシントン州で撮影されたシャドー・ピープル。右手に鎌らしきものを持っている。
下右：2006年にネバダ州の教会で撮られたもの。下左：2007年に森林公園で撮影された黒い影。

火星人類

探査機が捉えたヒト形の地球外人類

No. 000047

火星は人類の次なるフロンティアと目されてきた。この星が第2の地球と目されるのは、太陽日や赤道傾斜角が地球に比較的近く、わずかに大気があることがその論拠だ。ともあれ、入植に際しては火星人の〝不在〟が前提にある。

しかし、これまで公開された画像を見るかぎり、火星には大気や水どころか動植物、そして、ヒトの姿をした存在も認められるのだ。人面岩のように、文明の残滓と思しき構造物はこれまでに幾度も発見されてきたが、近年では動物やヒトの存在までに捉えられている。

たとえば、2003年に火星に到達した米火星探査車スピリットは、グゼフ・クレーター北の砂地でヒトのものと思しき頭蓋骨を複数発見している。さらに、2012年にゲイル・クレーターへ着陸したキュリオシティも、かばいあうようにして横たわる男女の亡骸、スナイパーと名づけられた兵士らしきヒト形の姿、岩に寄りかかったまま絶命したと思われるヒト形を写真におさめている。

それぱかりか、生きている人間の可能性を示唆する画像もある。スピリットと同時に火星に送られたオポチュニティが光り輝くヒト形の存在をとらえているほか、全長3～15センチの小柄なヒト形の存在がキュリオシティのカメラの前に幾度となく姿を現しているのだ。

これらの存在は明らかに意思をもち、その場に〝いる〟ように見える。彼らが現在の火星に生きる火星人なのか？　だとすれば、火星探査や開発計画はその前提からまちがっていたことになる。

気になるのは、地球人が送りこんだ探査車両が、彼らの目にどう映っているかだ。実は、火星探査の成功率は約3分の1と非常に低い。しかも、そのほとんどが原因不明だ。研究者の中には地球と火星間をバミューダトライアングルのような魔の空間と呼び、探査機を狙う宇宙の悪霊がいるという者もいる。だが真の理由は、地球の侵入を嫌った火星人による妨害なのかもしれない。

認定
AUTHORIZATION

▲上：2016年7月、キュリオシティが撮った岩陰には、小人らしきヒト形の存在が見られる。
下：2016年4月、同じくキュリオシティが撮った小人。ブーツを履き、頭は長頭だ。

レプティリアン

爬虫類型エイリアン

No.000048

UFOアブダクティーの証言によれば、レプティリアンは、身長2〜2・4メートルで尻尾を持ち、肌はトカゲのようで、目は黄色で瞳に縦にスリットが入った爬虫類型エイリアンである。

レプティリアンは、竜座のアルファ星を母星とする高度に発達したドラコニアン（竜座人）の配下で、太古から地球に飛来していたグループだという。ドラコニアンは翼をもち、叡智を宿した種で、古代の地球を訪れていて、その記録は「蛇神信仰」の形で残されている。ドラコニアン・の血を引く混血種は、体温や血圧が一般的な数値より低いといった特徴があるという。

彼らはグレイタイプのエイリアンよりも先に地球に侵入していて、巨大な地下都市と地下トンネル網を作り、そこを活動拠点としてきた。人間との交配種は半神半人と崇められ、古代シュメール文明やエジプト文明などで君臨。王族や支配者はみな、レプティリアンの血をひくものたちだという——。

アメリカ、カリフォルニア州マリポサで「レプトイド・リサーチセンター」を主宰するジョン・ローズは、「恐竜が絶滅せずに究極の進化を遂げた可能性がある」というカナダの地質学者にして古生物学者のデール・ラッセル博士の仮説を踏まえて、「レプティリアンは、恐竜が絶滅せずに、知的生命体として人間のような姿に進化した恐竜の子孫であり、地底に潜み、かつ超古代文明とも深くリンクしてきたが、その目的はいまだに謎のままなのだ」、と説いている。

一方、イギリスの著述家で陰謀論者として知られるデイビット・アイクによると、イギリス王室の正体は、「太古から地球に棲息する地球外エイリアンの末裔たちで、変身能力を有している。またアメリカ大統領の多くも同類だ」と主張している。

そのレプティリアンはアメリカを筆頭に、各国政府と密約を交わしており、裏から世界を意のままに操作している、という。

◀恐竜が絶滅せず、知的生命体として進化していたら、このような姿になっていた!?

エイリアン・ハイブリッド

No.000049

異星人と地球人の子供たち

UFO、エイリアンによってアブダクションされた人々は、〝アブダクティー＝拉致被害者〟と呼ばれる。アメリカのUFO研究家バド・ホプキンスは、このアブダクション研究における先駆者のひとりで、1970年代の終わりに、アブダクションの「異世代共有説」を唱えて注目された。ホプキンスは、ある人物がアブダクティーになるのは、少なくとも実父母のひとりがアブダクティーだったからだという。つまり、その祖父母も、またその曽祖父母も、というように、だ。

ホプキンスは催眠療法を用いて、アブダクティーたちから「証言＝体験」を引きだした。そして、アブダクティーがUFO内で見せられたエイリアンとヒトとの交配種である赤ん坊や子供を「ハイブリッド」と名づけた。女性なら卵子を、男性なら精子を抜きとられ、「混血＝ハイブリッド」を創るために使われるが、ときには「性的接触＝異種交配」もある。こうしてエイリアンの遺伝子とヒトの精子と卵子はそれぞれが混合され変容し、さまざまな「エイリアン・ハイブリッド」が創造されるのだという。ときに女性アブダクティーは、自身が生んだハイブリッド・ベイビーを抱かされ、授乳をさせられたりするという。

ホプキンス亡きあと、米ペンシルベニア州のテンプル大学歴史学名誉教授デービッド・ジェイコブス博士は、1000件を超えるアブダクション事例を調査し、エイリアンの「人類ハイブリッド化計画」を知った。博士は、計画が最終段階に達して創造された種を「ヒューブリッド」と呼ぶ。人間と遜色のない姿形をしたハイブリッドで、すでに普通の人類として活動しているというのだ。

エイリアンの最終的な目的は、人類とヒューブリッドが同化・融合した社会の到来だという。ジェイコブス博士は、「ヒューブリッドが人間社会に同化し、すでに種として融合しつつある。いずれ地球は彼らヒューブリッドに奪取される！」と、説いている。

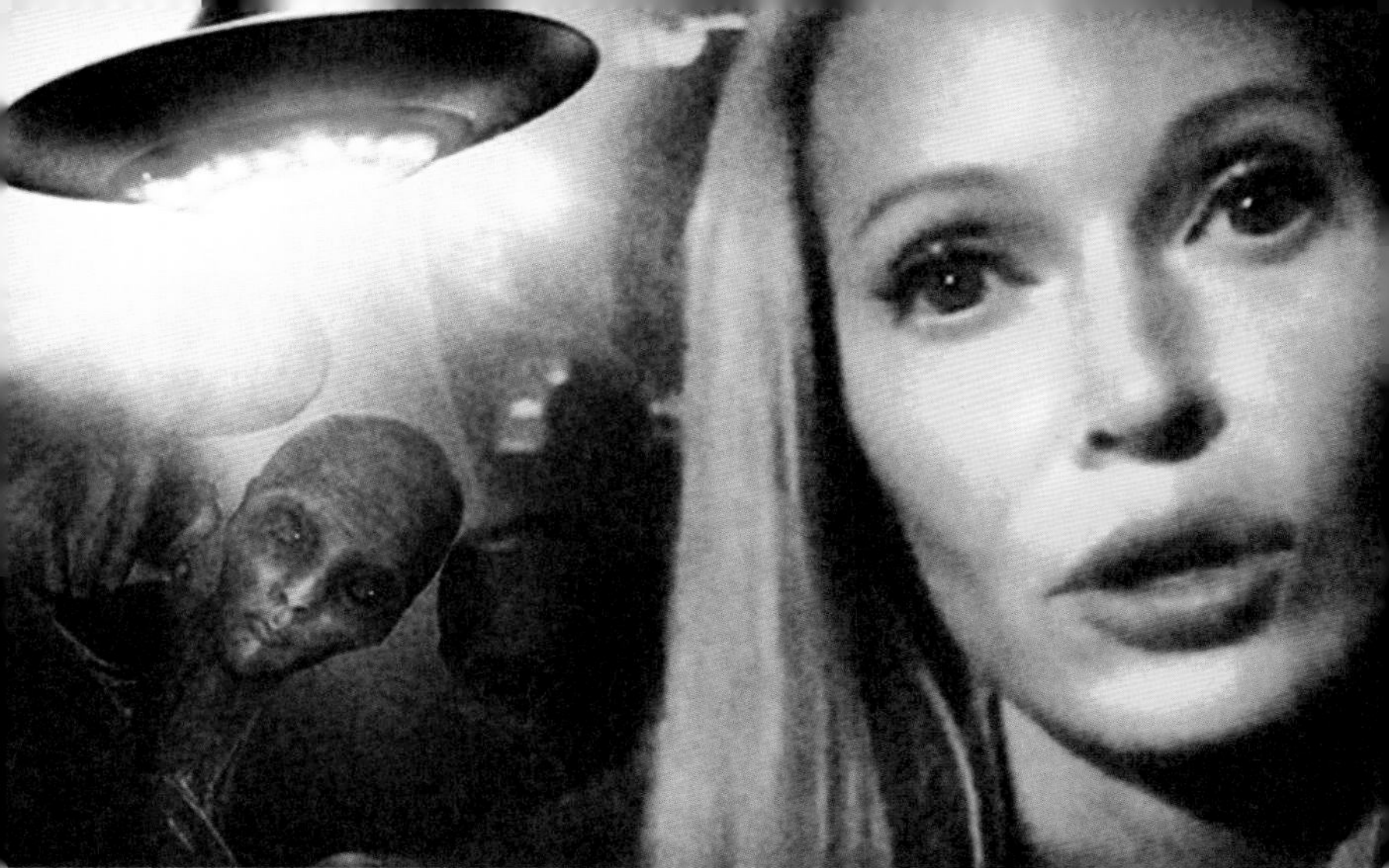

▲母が産んだエイリアンとのハイブリッドだと主張するカナダ人女性リサ。身長２メートルで超常能力を秘めているという。
▶1000件を超えるアブダクション事例を調査しているデービッド・ジェイコブス博士。

認定
AUTHORIZATION

国際情勢、世界経済、戦争、さらには天災……これらすべてが、人為的に、ある組織の意図によって操作され、支配されている！　その背後にいる組織こそが、本章で紹介する秘密結社である。

しかし、秘密結社が具体的にどのように政治、経済に関わり、どのように自然災害を起こしているのか、どのような意図で世界を操作しているのか、それははっきりしていない。

だからこそ秘密結社なのである。

だが、どんなに隠蔽しようとしても、人の

密結社

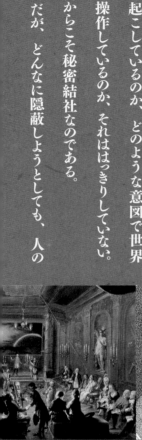

行いは表に少しずつ漏れていき、結社の輪郭はそのたびに、おぼろげに見えてくる。塗りつぶされた情報の間から、「ムー」は代表的な結社7組織をここで認定する。

それは、世界でもっとも知られた秘密結社「フリーメーソン」、その上部組織ともされる「イルミナティ」、魔術的組織「薔薇十字団」と「黄金の夜明け団」、ナチスの神秘主義組織「ヴリル協会」、現在のアメリカから世界を動かす「スカル&ボーン」、そして秘密結社の頂点「三百人委員会」だ。

No.000050-No.000056

8章 7つの秘

No.000050

フリーメーソン

もっとも有名な秘密結社

世界でもっとも有名な秘密結社、フリーメーソン。伝承では、創設は3000年以上前。『旧約聖書』に登場するソロモン王の第1神殿を築いた大建築家ヒラム・アビフこそが、この結社の始祖だという。

このときヒラムは、建築家の集団を「親方」「職人」「徒弟」に分け、秘密の合言葉や符牒を定めて仕事にあたらせていた。だがあるとき、「職人」がヒラムの名声を妬み、「親方」の合言葉を聞きだそうと目論み、ヒラムを殺害してしまう。遺体は埋められたが、そこに生えてきたア・カシアによって弟子たちに発見され、「獅子の爪」と呼ばれる特殊な握手法によってヒラムの復活が試みられたという。

今日、フリーメーソンの入団儀礼（イニシエーション）では、この伝説が忠実に再現される。参入者はヒラムになり、死と再生を疑似体験することで、フリーメーソンとして生まれ変わるのだ。

彼らのシンボルマークに直角定規とコンパスが描かれているのは、始祖が石工であった名残りとされる。もうひとつのシンボルは1ドル札にも刻まれている「万物を視通す目＝ホルスの目」だ。彼らの遠い祖先はピラミッド建設集団だともいわれている。

フリーメーソンの本質は、友愛団体だ。「兄弟愛、困窮者の救済、真実」に基づき「自由、平等、博愛」を目指し、理想実現のために闘いつづけてきた。その成果がフランス革命やアメリカ合衆国の独立、ロシア革命だというのはよく知られている。また、日本の明治維新に関与していたという噂もある。

メンバーも初代アメリカ合衆国大統領のジョージ・ワシントンをはじめ、作曲家のモーツァルト、元イギリス首相のチャーチル、ロシアの作家トルストイなど、数多くの著名人がいたことが知られている。

だがその一方で、〝世界を背後で操っている〟など、この結社の名前が常に陰謀論の背後で見え隠れしていることは否定できない。

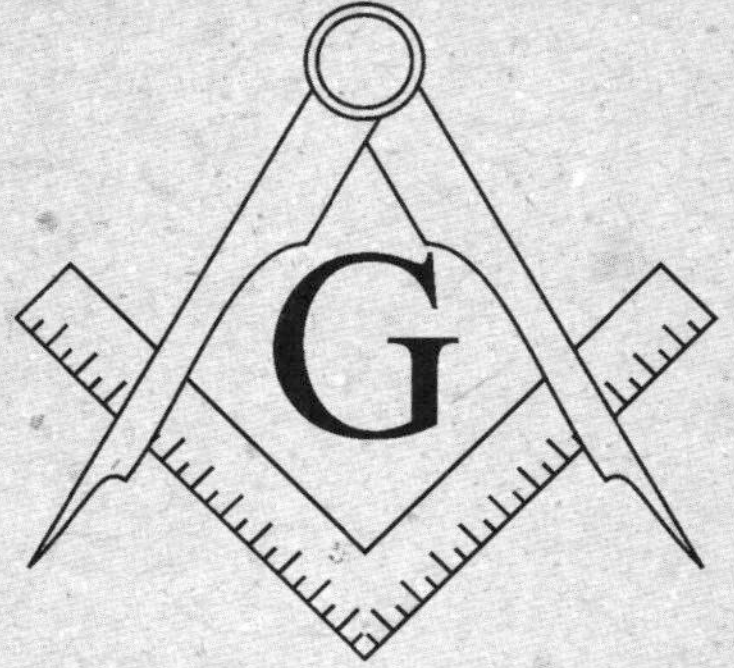

▲上：1780年代のウィーンでのフリーメーソンのロッジ（支部）の様子。左端の人物はモーツァルトだという。
下：フリーメーソンのシンボルマーク。直角定規とコンパスを組み合わせたデザインだ。
▶フランス人権宣言の草案もフリーメーソンによって作られた。それを示すように、上にはシンボルであるプロビデンスの目が描かれている。

イルミナティ

フリーメーソンに影響を与えた啓明思想集団

No.000051

イルミナティ――正式名称を「バイエルン啓明結社」という。1776年5月1日、ドイツのバイエルン州インゴルシュタットという街で創設された。ただし、活動期間はわずか9年にすぎない。にもかかわらず、陰謀論が語られるときに必ずといっていいほど名前が挙げられるのが、このイルミナティなのだ。

創設者のアダム・ヴァイスハウプトは、自由と平等をだれもが享受できる理想社会建設を目指してこの結社を立ちあげた。「啓明＝イルミネイション」という名称は、そのために人間は、自分自身の力で意識や人格、霊格を高め、より高い霊性を獲得しなければならないという、彼の信条からきている。

王政下におけるイルミナティのこの思想は多くの共感を得て、急速に勢力を拡大していった。その原動力となったのが、フリーメーソンだ。

というのも当時、フリーメーソンには政治的・哲学的な思想がほぼ皆無だった。それに不満を感じたメンバーが積極的にイルミナティに参加し、フリーメーソンのロッジ（支部）に、ヴァイスハウプト考案の儀礼（位階システム）を導入したのである。

しかもヴァイスハウプト自身、1777年にミュンヘンでフリーメーソンに参入している。そこで組織の運営方法などを吸収し、メーソン内部にもイルミナティ的思想を浸透させていった。イルミナティが「フリーメーソンの上部組織」とされるのは、こうしたことが理由なのだ。

しかし、彼らが目指した自由や平等は、当時の世界を支配する封建社会の完全否定でもあった。そのためドイツ政府は1784年、1785年に、イルミナティの活動を禁止、ヴァイスハウプトも亡命してイルミナティは消滅した。

だが、20世紀になるとイギリス人作家のN・ウェブスター夫人が著作中で、イルミナティは消滅しておらず、地下に潜って世界史を自在に操ってきたと主張。かくして甦ったイルミナティは、以後の陰謀論の「核」となっていったのである。

▲イルミナティの創設者、アダム・ヴァイスハウプト。彼の政治的、哲学的な思想はフリーメーソンに影響を与えた。
▶フランス革命の担い手の多くはフリーメーソンだった。彼らはヴァイスハウプトとイルミナティの影響を強く受けていたことが知られている。

薔薇十字団

古代の叡智を伝える幻想の結社

No.000052

17世紀初頭、薔薇十字団と呼ばれる秘密結社が、ドイツで話題になった。きっかけは1614年、『友愛団の名声』『友愛団の告白』『1459年のクリスチャン・ローゼンクロイツの化学の結婚』という本が刊行されたことだった。著者も発行人も不明だが、当時の知識人の熱い注目を集めたのである。

そこに書かれていたのは、クリスチャン・ローゼンクロイツなる貴族の生涯だった。

彼は1378年にドイツの貧しい貴族の家に生まれ、幼時を修道院で過ごすと、16歳で東方へ叡智を求める旅に出た。旅の途中で賢者たちと交流し、古代アトランティス以来、密かに伝えられてきたあらゆる叡智を身につける。その後、ローゼンクロイツはヨーロッパに戻ってきたが、彼が語る叡智は先進的で、だれにも理解できなかった。しかたなく彼は7人の同胞を呼び寄せ、「聖霊の家」なる拠点でその知識を伝えた。これが薔薇十字団なる秘密結社の始まりというわけだ。

薔薇十字団には「6つの誓約」があり、無料で病人を癒すこと、年に1度は本部に集まり集会を開くこと、世を去る前に後継者を見出して秘儀を授けること、結社の存在を120年間は明かしてはならないことなどが定められていた。

この物語を知った当時のインテリ層や貴族たちは、ローゼンクロイツの叡智に激しく憧れ、薔薇十字団への入団希望者が続出した。有名な哲学者デカルトも、薔薇十字団に入会できないものかとひたすら尽力したという。なにしろローゼンクロイツが説いた古代の叡智は、彼らが願ってやまない錬金術の奥義であり、不老不死さえも実現していたというのだから無理もない。

とはいえ、会の本部や受付方法などは不明で、具体的な活動内容もわからない。その結果、見つからないなら自分たちで作ってしまえという動きが起こり、たくさんの薔薇十字団の系譜にあたる秘密結社が生まれていったのである。

▲右：クリスチャン・ローゼンクロイツ。東方への旅において、さまざまな賢者から古代の叡智を授けられたという。左：薔薇十字団の理想的な教えを象徴しているという絵。「見えない学院」と呼ばれる。
▶薔薇十字団の紋章。

黄金の夜明け団

近代魔術結社の祖

No.000053

近代魔術結社の原型といわれているのが黄金の夜明け団（ゴールデン・ドーン）だ。

1888年にロンドンで、W・W・ウェストコット、S・L・マグレガー・メイザース、W・R・ウッドマンの3人によって結成。当時のヨーロッパは神秘主義やオカルト思想が大ブームだったこともあり、文化人や有名人がこぞって入団した。

そういう意味では必ずしも「秘密」結社だったわけではなく、団員も男女を問わずオープンに募集されており、一種の魔術サロンの状態だったといっていい。

特徴は、3グループ11段階の位階制度を設けたことにある。

第1教団（外陣）は新参者、生成者、理論者、実践者、哲人の5位階、第2教団（内陣）は小熟達者、大熟達者、被免熟達者の3位階、第3教団は神殿の頭領、魔術師、至元者の3位階に分けられ、それぞれ魔術的叡智を得ることで上昇していくものとされた。

位階の体系づけをしたのは、創設者のひとりであるメイザースだったとされる。にもかかわらず、結成当初は重要なメッセージを伝える「未知の上位者」との交信ができるのはウェスコットだけとされていた。これが内部対立を招き、メイザースも交信ができると主張しはじめたことで、ウェスコットらは離脱。1900年にはメイザースも除名され、別の魔術結社「A∴O∴（アルファ・オメガ）」を立ちあげることになる。

設立メンバーがいなくなったあとも内部分裂は続き、ついには団の名前を騙った詐欺事件までが発生。「暁の星」と改名したり、反発するグループが「聖黄金の夜明け」を結成して分派したりするなどして、黄金の夜明け団は消え去った。

ちなみに黄金の夜明け団結成当初は、後にノーベル文学賞を受賞するW・B・イエイツや、女優のフロレンス・ファーらもサロンに出入りしており、「大魔術師」と呼ばれることになるアレイスター・クロウリーも団員だった。

◀▼上左：W・W・ウェストコット、中段右：S・L・マグレガー・メイザース、下左：W・R・ウッドマン。黄金の夜明け団はこの3人によって設立され、文化人らを魅了しブームとなったが、内部分裂によってやがて消えていった。

ヴリル協会

ナチスの神秘主義秘密結社

No.000054

ヴリル協会は、1917年にドイツでナチスによって結成されたとされる。きっかけは、イギリスの作家エドワード・ブルワー＝リットンのSF小説『来るべき種族』らしい。

小説のなかでリットンは、「ヴリル・ヤ」という未知の種族が地底にユートピアを建設しており、核以上のパワーをもつ力「ヴリル」を活用している、と書いた。それは別名、「黒い太陽」とも呼ばれる。ヴリル協会は、この未知のパワーであるヴリルと交信し、「黒い太陽」の力を手にすることを目的として生まれたというのである。

リットンは英国薔薇十字団の幹部でもあったため、小説の内容もあながち空想の産物ではない、と当時は思われていたようだ。ただし、ヴリル協会に関する資料はほぼ皆無で、その実態は謎に包まれており、アメリカに亡命したロケット工学者ウィリー・レイが著作『ナチス帝国の疑似科学』で触れているだけだ。

あるいは、1960年にフランスで出版されたジャック・ベルジェとルイ・ポーウェルの共著『魔術師の朝』では、ドイツの地政学者カール・ハウスホーファーがヴリル協会の会員だったとしている。

ハウスホーファーはアジアの神秘主義研究の権威でもあり、ヒトラーやナチスにも大きな影響を与えた。1908年からは4年間、日本に滞在し、仏教に魅せられ、チベットにも渡っている。その後に彼は、ドイツと日本は「生存圏」を獲得すべきだと主張し、これが日独同盟の推進力にもなった。さらに、英国薔薇十字協会や黄金の夜明け団ともつながりがあったという。ハウスホーファーが東洋的な叡智や魔術に造詣が深かったことは間違いないわけで、当然、チベットの地底都市伝説――シャンバラやアガルタ――の存在も意識していたことだろう。

ということは、「ヴリル・ヤ」が実はこの伝説の地底都市であった可能性もある。ただしハウスホーファー自身は、ヴリル協会についていっさいコメントを残してはいない。

▲ドイツの地政学者カール・ハウスホーファー（左）と、ナチスの幹部ルドルフ・ヘス。ハウスホーファーの神秘主義研究は、ナチスに多大な影響を与えた。
▶エドワード・ブルワー＝リットンの著作『来るべき種族』は、神秘の種族「ヴリル・ヤ」と神秘の力「ヴリル」を描いた。ヴリル協会はこの力を求める目的に結成されたという。

No.000055

スカル&ボーンズ

アメリカを動かす秘密クラブ

アメリカのコネチカット州ニューヘイブン市にあるイェール大学で、学生どうしの秘密クラブとして1832年に結成されたのが、「スカル&ボーンズ」だ。

そもそもイェール大学は世界でも最高レベルの大学のひとつとされており、これまでに5人の大統領や56人のノーベル賞受賞者を輩出している名門だ。その大学の新入生のなかで、スカル&ボーンズに入会を許されるのはわずか15名ほどといわれている。つまり、会員はいずれもエリート中のエリートばかりということになるわけだ。

当然、社会に出た彼らは、国防総省や国務省といった国家の中枢機関に就職したり、金融、石油などの重要企業の経営者といった重要ポストに就くことになる。こうしてスカル&ボーンズは、アメリカ国家における影響力を強めてきたのである。

たとえば2004年に行われたアメリカの大統領選挙では、ふたりの候補者（ジョン・ケリーとジョージ・W・ブッシュ）がいずれもスカル&ボーンズのメンバーだった。ちなみにいわゆるパパ・ブッシュもやはりスカル&ボーンズである。さらに、歴代のCIA長官の座は、いずれもスカル&ボーンズが占めてきたといわれているのである。

陰謀史観の研究者によれば、スカル&ボーンズの母体はドイツのイルミナティだったとされる。スカル&ボーンズは、新世界秩序の形成というイルミナティの目的を達成するために、アメリカの政治を動かし

▲アメリカの超名門イェール大学で結成されたスカル&ボーンズ。入会を許されるのは15名。歴代のメンバーからは大統領やノーベル賞学者を多数輩出している。

ているのだ、と。

はたしてそれが、どこまで事実なのかどうかはわからない。

彼らは、仲間どうしの秘密を厳守しているので、実態はなかなか外部に漏れないからである。しかも情報化が進んだ現代社会において、これほど庶民離れしたエリート集団の実態が公になれば、大きな反発を招くのは必至だ。そのため現在では、スカル&ボーンズの名前が前面に出されることは、きわめて少なくなっているようである。

三百人委員会

秘密結社の最高組織

No.000056

「三百人委員会」は、世界支配を目指す秘密結社の最高組織だ。設立は1727年、すでに300年近い歴史をもつ。もともとはイギリスの東インド会社における300人の会議から生まれたとされる。

元英国情報部MI6のメンバーだったと自称するジョン・コールマンなる人物によれば、三百人委員会の最高大総監にはフリーメーソンの最高位の人物が就任しており、また現在ではイルミナティの中心組織にもなっているという。さらにその一方で、イギリスの大財閥ロスチャイルド家の資産を、政治的に利用するために作られた組織だという説もある。

このように、結社の正体はいまひとつはっきりとしない。だが、彼らが目指している世界については明確だ。新世界秩序を構築することで、一部のエリート層によって世界を効率的に支配することとされている。

簡単にいえば、悪魔主義による地球支配計画である。批判者によれば、彼らがめざしているのは「悪魔王国」の建設にほかならず、それはまさに「地球人類を家畜化」することだという。ポイントは、三百人委員会の主体はあくまでもイギリスにあるということだ。

本部もイギリスにあるし、主要メンバーもイギリス王室が中心である。そこに、著名な政治家、投資家、科学者、実業家、資産家などが加わることで組織が構成されている。アメリカ政府をはじめとする世界の国家は、あくまでも彼ら三百人委員会の支配下に置かれているのだ。そのトップに君臨しているのが、エリザベス2世女王だという。

彼らは新世界秩序構築のために、21か条の戦略を掲げているといわれている。そのなかには「世界三大宗教を壊滅する」（第3条）、「三百人委員会にとって無駄な30億人の人々を死滅させる」（第9条）といった過激なくだりもあり、現在の世界の混乱はすべて、彼らの意図のもとで行われていると主張する研究者もいるのである。

ム認定
AUTHORIZATION

▶三百人委員会はエリート層の悪魔主義による地球支配を目論んでいる。
▼三百人委員会の歴史は、イギリスの東インド会社における300人評議会から生まれたとされる。

黄金都市、埋蔵金……世界各地の伝承や噂の中でも、人々を魅了して止まない〝隠し財宝〟伝説！

秘められた財宝は多くの場合、想像を絶するほどの莫大な価値をもつもの。だからこそ、ある者は一攫千金を夢みて、人生を、命を賭ける。その無謀ともいえるチャレンジは、ほとんどの場合、徒労に終わる。それだけならいい。命を失う者も多い。

だが——隠し財宝を実際に手にした者がいることも事実だ。実際、世界中の埋蔵金の

し財宝

総額は数百兆円ともいわれており、近年では金属探知機の高性能化などで探査技術は向上しており、巨額財宝とまではいかないまでも、財宝が見つかってきている。

今回、「ムー」が認定するのは、「ナチスの黄金列車」、「ヴィマーナ」、「インカの黄金」、「M資金」、「オーク島の財宝」、「黄金都市Z」、「徳川埋蔵金」……これら7つの隠し財宝もまた、近い将来、われわれの前に、目もくらむほどの煌めきをもって姿を現す可能性も否定できない！

No.0000057-No.0000063

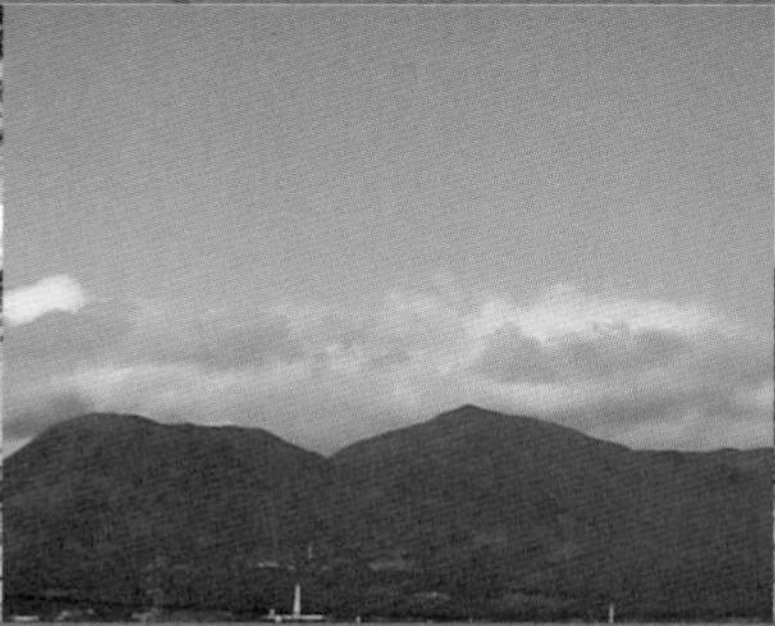

9章 7つの隠

No.000057

ナチスの黄金列車

巨大トンネルに埋められた財宝列車

第2次世界大戦末期、ポーランドを支配していたナチス・ドイツは、迫りくるソ連（現ロシア）軍の略奪を免れるために、金塊や芸術品など総額200億円相当の財宝を軍用列車＝黄金列車に積んで、地下トンネルに隠したといわれている。

このナチスの黄金列車は戦後70年間、多くの人々の心をとらえてきた。そんななか、2015年の夏になって、チェコとの国境に近いポーランドのワウブジフという街で黄金列車が発見されたというニュースが流れたのだ。

ワウブジフも第2次世界大戦中には、ドイツ軍に占領されていた街だ。しかもドイツ軍は当時、市内に大トンネルを掘っていた。コードネームはズバリ「リーズ（巨大）」。表向きは防空壕と兵器工場の建設が目的だったが、各国から略奪した財宝の保管場所としても使用されていたらしい。そのためにトンネルは、きわめて広大かつ複雑な迷路になっている。現在では一部が観光地として公開されているが、全貌は謎に包まれたままなのだ。

そこに、ふたりのトレジャーハンターがチャレンジした。

彼らは70年前に、黄金列車を埋める作業に携わったとされる男性と接触し、臨終の床で正確な埋没場所を聞きだしたというのだ。

▶ポーランド、ワウブジフ近郊に建設されたナチス・ドイツの巨大地下トンネル。このどこかに、黄金列車は眠っているのか!?（写真＝ロイター／アフロ）

証言に基づいて地中探知レーダーで調べたところ、長さ120〜150メートルの装甲列車が埋まっているような反応が出たというのである。トレジャーハンターたちはすぐに、ポーランド政府に届け出た。政府が掘れば、拾得物への謝礼として10パーセントの謝礼が与えられるからだ。

その後、地中レーダーで現場を確認したポーランドのピョトル・ジュコフスキ文化副大臣は、「列車が地中に眠っていることは99パーセント間違いない」という会見を行っている。内部に財宝があると断言はできないが、その可能性も否定できないとしたうえで、混乱を避けるために詳細な場所は非公開にすると語ったのである。

ヴィマーナ

古代寺院に封じられた秘宝

2011年6月27日から同年7月1日にかけて、インドのケララ州の州都ティルヴァナンタプラムにあるスリパドマナバスナミ寺院で、地下の秘密蔵6棟のうち、5棟が開かれた。出てきたのは、ローマ金貨をはじめとする古代の金貨が多数、米粒状の微小金塊約1トン、大量の貴石や装飾品数千個など、時価総額で約2・2兆円という莫大な財宝だ。骨董価値や文化遺産的価値も加えれば、評価はその10倍に跳ねあがるという説もある。

同寺院は紀元前3000年の創建ともいわれている。まさに古代インドの叡智が詰まった地下蔵といっても過言ではない。そしてこのとき、6棟の地下蔵のうち、開封されなかった蔵が1棟だけあった。

それはB棟と呼ばれる。大霊能者によって「ナーガ（蛇神）マントラ」という強力な呪文で封印されており、これを解くには大霊能者を超える人物が「ガルーダ（神鳥）マントラ」なる至高究極の呪文をかけるしかない。だが、現代には、そんな人物は存在しないという。無理に開封すれば、全世界は破滅的な大災厄で終末を迎えるという。

これほどまでに厳重に封印されたB棟に、何が隠されているというのか。現在、有力視されているのは、インド神話に登場する飛行兵器＝ヴィマーナである。

ヴィマーナはインド最古のサンスクリット語文献『リグ・ヴェーダ』に「ラタ（山車）」という名で初登場する。金属製で黄金色に輝く三角形のボディで、「精神より早い」速度で「3つの世界」を一瞬にして移動する神々の乗り物だ。

ラタ＝ヴィマーナが大活躍するのは叙事詩『ラーマーヤナ』で、そこではラーマ王子がヴィマーナを操り、強力な兵器とともに魔王を打ち倒す。ヴィマーナは、単なる移動装置ではなく、レーダー探知機や熱放射兵器を備えた超強力な戦闘機なのである。そう考えれば、B棟が強力な呪力によって封印されたのは、当然のことなのだろう。

▲上：スリパドマナバスナミ寺院の地下蔵のうち、開封されなかったＢ棟の装飾鉄扉。下：ナスィーヤン・ジャイナ数寺院の神話再現模型。宙にはヴィマーナが飛んでいる。

◀飛行するヴィマーナのイメージ。

インカの黄金

ジャングルの奥地に隠されたエルドラド

No.000059

大航海時代の1511年、パナマを訪れたスペイン人たちは、ある噂を耳にした。船で数日という距離を進んだパナマの南に、「黄金郷=エルドラド」があるというのだ。

当時、南米大陸でひたすら黄金を求めるスペイン人たちの強欲ぶりに、インディオは「それほど黄金が欲しいのなら、もっと南へ行ったらどうだ?」と提案する。そこには黄金郷があり、台所の道具でさえ黄金で作られている――と。

こうして壮絶な黄金郷捜しの旅が始まった。まずは1522年、パナマ騎兵隊長アンダゴヤが船で出発。探検は失敗に終わったが、途中、「ビルー」と呼ばれる川のそばで、エルドラドの支配下にあるというインディオと出会った。噂は本当だったのだ。ちなみにそれ以来、「ビルー」は黄金郷の代名詞になりやがて「ペルー」と発音されるようになった。

その後、さらなる奥地へ侵入したのがフランシスコ・ピサロ一行だ。ピサロが見たインカ帝国は黄金であふれ、まさにエルドラドそのものだった。

インカ皇帝アタワルパを捕らえたピサロは、ヨーロッパの風習にならってさっそく身代金を要求する。するとアタワルパは、2か月あれば1部屋は黄金で、2部屋は銀で満たすと約束した。まさに黄金郷ならではだ。結局アタワルパは処刑されるが、ピサロは莫大な黄金を手にしたといわれている。

この成功を期に、黄金郷を求める者が続出した。そのため、あまりの略奪ぶりに警戒したインカの人々は、莫大な黄金をジャングルに隠してしまったともいわれている。

また、インカではなくユカタン半島のアステカ帝国の話だが、当時、アステカの皇帝と謁見したコルテスは、すさまじい量の宝石や金の板を目にしたとされている。ところが彼が占領した城からは、財宝がきれいに消えていたというのである。

あるいはいまも、ジャングルの奥に莫大な黄金が眠っているのかもしれない。

▲莫大な黄金を手に入れたという、フランシスコ・ピサロ。

◀ピサロらスペイン人たちに捕らえられるインカ帝国皇帝アタワルパ。

▲アタワルパが幽閉された小屋。アタワルパはこの建物の1部屋を黄金で、もう1部屋を銀で満たすことをピサロに提案するが、結局、処刑された。

M資金

GHQが接収した日本軍の秘匿資金

No.000060

M資金と呼ばれる謎のマネーの噂がある。一般にこの資金は、詐欺の手口のなかで登場するのが定番だ。資金繰りに困った企業経営者や実業家を相手に、M資金という莫大な金融資産の存在をちらつかせながら、融資の手続きを迅速にするには有力政治家への手数料支払いが必要だと説明し、逆にカネを引きだすという手法である。

M資金の「M」は、マッカーサーやフリーメーソンの頭文字だともいわれる。ほかにも諸説あって、中でも有力なのはGHQ（連合国軍最高司令官総司令部）経済局の局長だったウィリアム・マーカットの頭文字だとする説だ。

では、資金の出所はどこなのか？

それは、GHQが戦後の日本を支配した際、日本国内や軍施設などから接収した大量の黄金や貴金属だとされる。この資金が隠匿され、現在に至るまで極秘に運用されているというのである。

だがこの話、いったいどこまで信憑性があるのか。

確かに第2次世界大戦後の混乱期には、日本銀行の地下金庫に大量の貴金属やダイヤモンドなどの宝石類が保管されていた。これらの多くは、旧日本軍が占領地から収奪した金塊や貴金属で、GHQに押収されたものである。これがあるとき突然、忽然と消えたという噂もあるが、実際にはほとんどが日本の復興費用や対戦国への賠償に費やされたとされている。だが、それが終戦時の日本の「全財産」だったのかというと、いささかあやしいのもまた事実だ。というのも、1946年4月6日には、東京湾の越中島海底から、旧日本軍が隠匿していた金、銀、プラチナが大量に引き揚げられているのである。

こうしたことからも、莫大な資金がひそかにプールされていた可能性は決して否定できない。今日まで、「M資金」の存在が確認されたことがないにもかかわらず、その亡霊が蠢いている背景には、このような事情があるのだ。

「還付金残高確認証」（架空の証書）についてのご注意

▶ English

平成23年7月1日
財務省

「還付金残高確認証」とは、証書上に記載された金額の国債還付金の残高の存在を示し、これと同額の国債に引き換えることを大蔵大臣が約束したとする架空の証書です。この架空の証書を用いた詐欺事件は昭和59年に摘発されましたが、その後もこの証書を使った事案が発生しています。
財務省（大蔵省）は、この「還付金残高確認証」なるものを発行したことはありません。同確認証は、法律上も存在しないものですので、ご注意下さい。

また、「還付金残高確認証」を用いた資金提供等を持ちかけられた場合には、最寄りの警察にご相談下さい。

＜使用された「還付金残高確認証」（架空の証書）の例＞
（参考）架空の証書の券面記載金額は、例示した500億円の他、100億円から5000億円まで多くの種類があります。また、裏面に財務省理財局による裏書きを偽造したものもあります。

［表面の例］

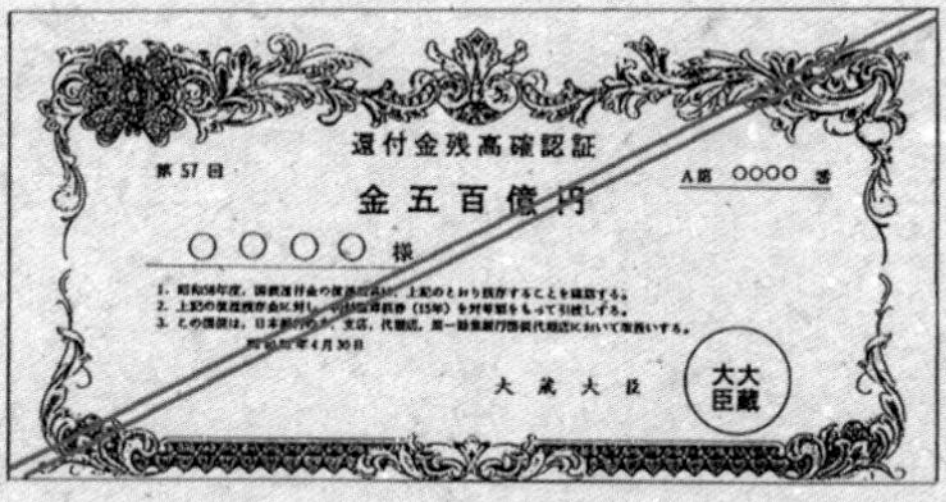

［裏面に理財局の裏書きが偽造された例］

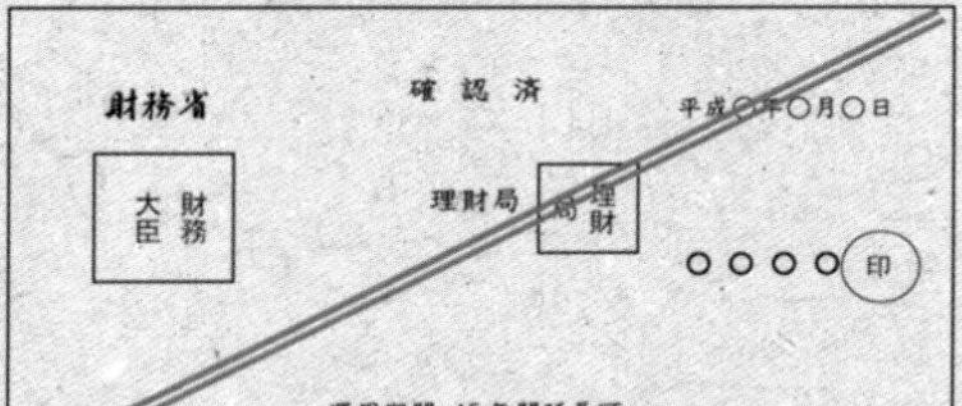

▲現在でも、M資金詐欺にかかる人は多い。そのため、財務省のホームページではM資金詐欺の注意を促すページが公開されている（財務省ホームページより）。

オーク島の財宝

海賊王の財宝が隠された島

No.000061

カナダのオーク島には、謎の財宝が眠るとされ、200年にわたり常に財宝捜しが行われてきた。きっかけは1795年、島の少年3人が100年ほど前に掘られたらしい縦穴の跡を発見したことだった。9メートルほど掘ると、ほぼ3メートルごとに丸太が敷きつめられている。人工の穴なのは間違いなかった。

このときはそれで諦めたが、8年後、彼らは掘削を再開。約30メートルの地中で、不思議な文字が刻まれた石板を見つける。解読してみると、さらに12メートルほど下に200万ポンドが埋められていると書かれていた。だが、ちょうどそのあたりから、侵水してくるようになった。どうやら侵入者を阻むための仕掛けがほどこされているらしい。ポンプを使っても排水は追いつかず、掘削は再び断念された。

以来、何人ものトレジャー・ハンターたちが、オーク島の財宝を求めた。しかし、いずれも水の仕掛けの前に捜索を諦めている。現在は島が私有地になり、簡単な調査さえ拒まれている状態だという。

問題は財宝の正体だが、正確なことはわかっていない。もっとも有名なのは、海賊ウィリアム・キッドの隠し財宝ではないかという説だ。

キッドは、17世紀後半に活動した「海賊王」で、ケダー・マーチャント号というインド商人所有の船を襲い、現在の価値で20億円を超える財宝を略奪したといわれている。だが、部下や友人の裏切りにあい、1701年5月23日、ロンドンのテムズ河で絞首刑にされた。

逮捕される前、キッドは活動拠点としていたアメリカのガーディナーズ島に財宝を隠したといわれている。実際、その財宝はのちに発見されているのだが、量があまりにも少なかったために、ほかの場所にも財宝があるはずだと考えられたのである。

その候補のひとつが、かつてキッドが立ち寄ったことがあるオーク島だったのだが、さて、本当にこの島の財宝は、キッドの宝なのだろうか。

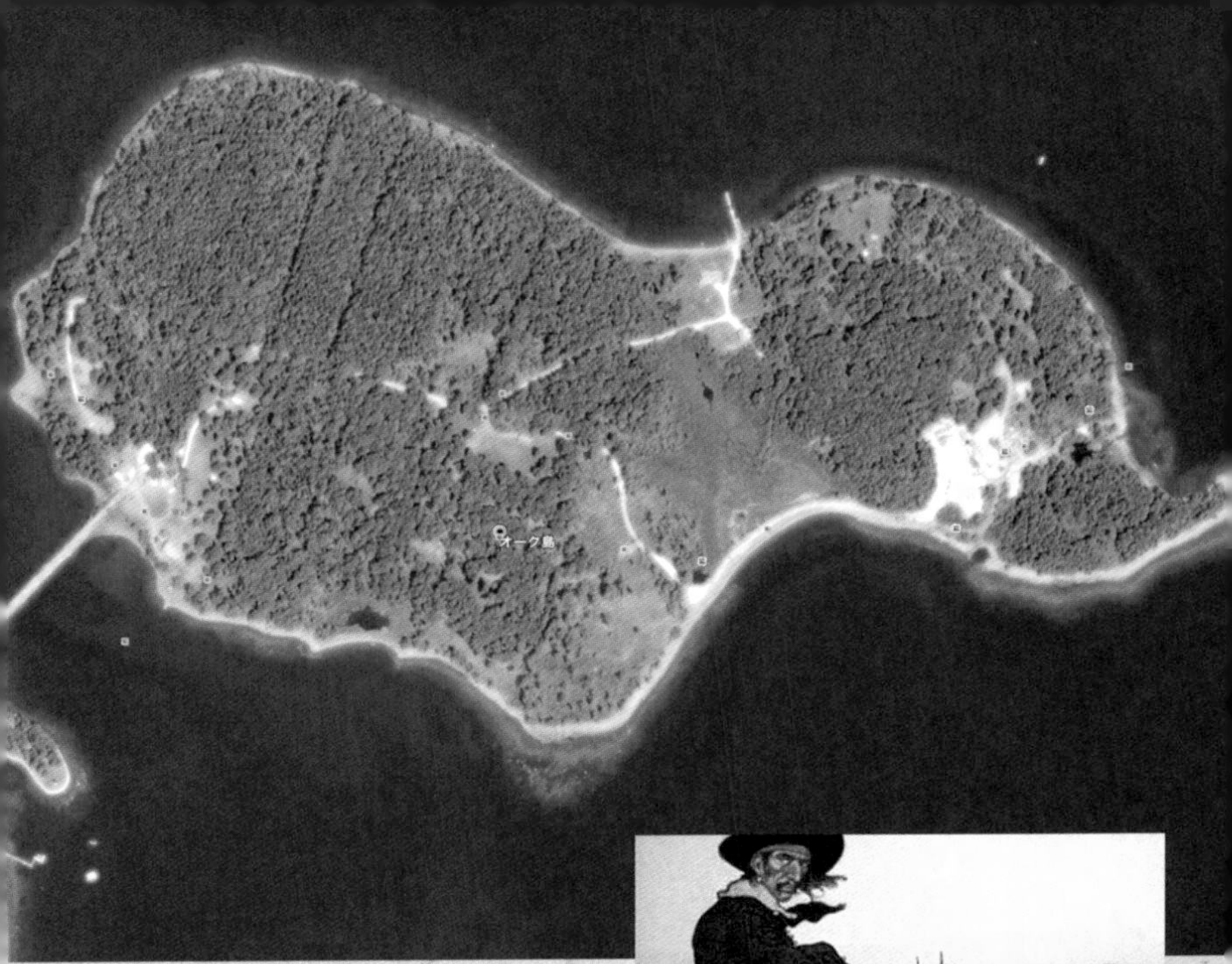

▲カナダ、ノバスコシア州チェスターにある小さな島、オーク島。この島には謎の財宝が隠されている。
▶海賊王と呼ばれたウィリアム・キッド。オーク島の隠し財宝は、彼が秘匿していったものなのだろうか。

黄金都市Z

フォーセットが求めた幻の都市

No.000062

映画『インディ・ジョーンズ』のモデルのひとり、イギリスの探検家、パーシー・ハリソン・フォーセットが発見したとされる南米の黄金郷が「幻の黄金都市Z」だ。

１９０６年10月、フォーセット率いる一行は、ブラジルのジャングルに入った。任務はブラジルとボリビアの国境線を定めること。だが、そのための測量は容易な仕事ではなかった。まず、熱帯の蒸し暑い気候が体力を削る。しかも場所は、道なきジャングルだ。ジャガーや毒ヘビ、さらには彼らの侵入を心よく思わないインディオがいつ襲ってくるかもわからない。さらにさまざまな伝染病感染の危険もあった。

このときの体験は、フォーセットに強烈な印象を残した。帰国後もアマゾンの魅力が頭を離れなかった大佐は、１９０８年、１９１０年、さらに１９１１年とたてつづけにジャングルへと足を踏み入れ、測量を行っている。

そしてこの間に、アマゾンの奥地にはあのアトランティス文明にもつながる、想像を絶する高度な古代文明が栄えていたのではないか、と考えるようになった。いわばブラジルの黄金郷＝エルドラドだ。フォーセットはこれを「Z」と名づけた。そして以後の人生を、この幻の黄金都Zの探索に捧げるのだ。

第１次世界大戦終結後、フォーセットは退役し、幻の古代都市探索のためのスポンサー捜しに奔走する。だが、なかなか協力者は現れず、１９２１年には私財をはたき、たったひとりでブラジルのジャングルに

▲黄金都市Zを捜索した探検家パーシー・ハリソン・フォーセット（左から2人目）とブラジルの現地人。フォーセットは1925年から行方不明だ。

入っていった。このときは3か月、ジャングルをさまよい歩いたものの、何の成果も得られなかった。

1924年、あるつてによってアメリカで資金援助を得たフォーセットは、いよいよ長期間の黄金都市Z捜索計画にとりかかった。最低2年間はジャングルで過ごし、発見するまで戻らない覚悟だった。そして翌1925年、息子ともアマゾンのジャングルに足を踏み入れると、二度と戻ってくることはなかった。

認定

徳川埋蔵金

赤城山に眠る莫大な幕府資金

No.000063

幕末に群馬県の赤城山中に隠されたといわれているのが徳川埋蔵金だ。1990年から1995年にかけて、TBS系列のテレビ番組で発掘プロジェクトとして大々的に放送されたこともあって、知名度は高い。発掘が行われたのは故・水野智之氏の私有地で、水野家では祖父の代から3代にわたって発掘作業が続けられていた。その結果、一時は周囲およそ400メートル、深さ50メートル以上の巨大な穴が出現していたほどだ。

だが、そもそも徳川埋蔵金とは何なのか。一般的なストーリーは次のようなものだ。

江戸幕府が崩壊の危機にさらされたとき、当時の大老・井伊直弼は幕府再興資金として、江戸城に蓄えられていた御用金約360万両（現在の貨幣価値で200兆円以上！）を埋蔵することを画策した。井伊大老の暗殺後、計画は勘定奉行・小栗上野介らによって実行に移され、御用金は赤城山中に隠されたとされる。これが徳川埋蔵金で、実際、江戸城開城後に御金蔵はカラになっていたというから信憑性も高い。

問題は、なぜ赤城山なのかということだが、ひとつには小栗上野介が一時、群馬県に隠遁していたことが挙げられている。そこから、彼が御用金を運んだという噂が流れ、利根川を船で遡って御用金を赤城山中に運び込むのを見たという「証言」まで現れたのだ。加えて、小栗とともに計画に加わったとされる旧幕府の勘定吟味役・中島蔵人が、明治9（1876）年に水野智之氏の祖父・智義に、御用金が赤城山麓に埋められていることを告げたともいわれている。

水野智義はその証言をもとにした発掘作業のなかで、重さ720グラムの「黄金の家康像」や「奇妙な文字や地図が刻まれた3枚の銅板」などを見つけている。これが本当に埋蔵金の在処を示す道標なのかはわからない。だが、莫大な埋蔵金が密かに山中に眠っているというロマンは、永遠に尽きない。

認定

AUTHORIZATION

▲上：群馬県前橋市から見た赤城山。徳川埋蔵金が秘匿されていると噂される。
下：赤城山中の水野家の私有地。巨大な穴は、TBS系列の番組で掘削した跡。

地球上には、科学では解明できない謎の現象が頻発する〝超不思議ゾーン〟とも呼ばれるエリアが数多く存在している。

なかでも、ある3地点を結んでできる三角地帯に含まれる海域では、航行する船舶や上空を移動する飛行機が消失することをはじめ、UFOが多発するなど、怪奇現象が起きることが多い。また、そうした場所では突然の機器の故障や、そして濃霧の発生などの気候変動も起こるという。まさに異次元空間スポットといえるだろう。

次元空間

そこで、「ムー」では、代表的な異次元空間やその入り口7つを認定した。

それは、超常現象海域としてもっとも有名な「バミューダ・トライアングル」、アメリカの「グレートレイクス・トライアングル」と「ブリッジウォーター・トライアングル」、近年、旅客機消失で話題となった「マレーシア・トライアングル」、またメキシコの「サイレントゾーン」、オーストラリアの「バス海峡トライアングル」、そして日本の「田代峠」だ。いずれも異常が多発している現場なのである！

No.0000064-No.0000070

10章 7種の異

No.0000064

バミューダ・トライアングル

魔の三角海域

「バミューダ・トライアングル」、別名〝魔の三角海域〟と呼ばれるそこは、マイアミとプエルトリコとバミューダを結ぶ海域を指す。これまでに数多の飛行機や船舶が謎めいた消失事件にみまわれ、不可解な状況下で乗員が失踪する事件も多数発生している海域で、当代随一の有名な〝消滅ゾーン〟である。

なかでも、アメリカ海軍TBMアヴェンジャー雷撃機5機が同海域上で訓練飛行中、突然消息を絶ち、救出に向かった軍用機も乗員もろとも消え失せた事件は、「フライト19事件」として語り継がれている。

多数の船舶もまた原因不明の消滅を遂げているが、ハリケーンや霧の多発地帯であることから、〝それ〟に遭遇して遭難したというケースもあれば、事実を誇張・歪曲した報告も、もちろんあったりする。

最近有力視されているのは〝メタンハイドレート説〟。海底に埋もれた物質が急激な圧力や温度変化で大量のメタンを放出、その泡で船が浮力を奪われて沈没するとか、上空に広がったメタンガスでエンジンの酸素が失われて停止、墜落するという。だが、それで事件のすべてを説明できるわけではない。

また、2015年5月16日早朝、約90年前に消滅した蒸気貨物船コトパクシ号船が、突然、ハバナの近海に現れる、という不思議な事件が起きている。残っていた航海日誌から、1925年、キューバのハバナ島に向かったまま乗員32人とも消息を絶っていた同号と確認された。老朽化した船体は、明らかにその年月が経過した様を示していた。出航後、船は〝予期せぬ異変＝異空間との遭遇〟に見舞われ、消息を絶ったとしか考えられない。

なお、発見当時、キューバの内閣府副大臣アベラード・コロメ将軍ら閣僚たちは、同号再出現の謎について、徹底的な調査を宣言していたが、なぜか続報は聞かれずじまいに終わっている。バミューダ・トライアングルでは、説明不能な〝未知の力〟が働いているのだ。

▲1925年11月29日、ハバナ島に向かったきり消息を絶っていた蒸気貨物船コトパクシ号。2015年5月16日、突如ハバナ近海に現れた。
▶「フライト19事件」は、1945年、バミューダ海域でアメリカ海軍ＴＢＭアヴェンジャー雷撃機５機と救出に向かった飛行機が消息を絶った事件として知られる。

認定
AUTHORIZATION

グレートレイクス・トライアングル

五大湖の魔空間

No.000065

北米の五大湖に面した都市、カナダのシルバーベイ、アメリカのシカゴ、ローチェスターを結ぶ三角域は、「グレートレイクス（五大湖）・トライアングル」と呼ばれ、バミューダ海域に負けず劣らず怪奇現象が多発するゾーンである。

オンタリオ湖にある「マリスバーグ・ボルテクス」と呼ばれる最大のミステリー・スポットでは、なんと14か所もの磁気異常ポイントが確認されている。1950年にアメリカ海軍とカナダ国立調査協会が磁気異常の調査をした際、カナダ運輸省の電子工学者ウィルバート・スミスの科学調査チームは、オンタリオ湖の東端で、大気中に「核力が低下する」空域を発見した。

核力とは陽子と中性子を引きつけ、原子核を構成している力のことだが、この結合力を低下させる力をもった空域が、オンタリオ湖に存在することが科学的に実証されたのだ。原子核の結合がなくなれば物体はバラバラになり、大爆発する。

そんな恐怖の空域が、ここでは柱のような形で上空へ伸び、直径300メートル、高さ数千メートルにも達し、湖から湖へと移動していると、スミスは報告している。

にわかには信じがたい話だが、1975年11月にスペリオル湖で発生した、巨大タンカー、エドムンド・フィッツジェラルド号の事件を考えると、それも納得できる。全長200メートルというこの巨大船が、なんと一瞬で沈没したのだ。核力の低下によって機器が異常をきたし、沈没したとすると、筋が通る。

さらに古くは1804年11月、オンタリオ湖を航行中のカナダ政府の帆船スピーディー号が、湖底からそびえたつ謎のモノリス状の物体にグイグイ引き寄せられ、船体が一瞬ブレながら消滅した事件もある。このときはモノリス状の物体も同時に消滅したというから、「魔空間」が一瞬の間、目に見える形をとったとも考えられるだろう。この不可思議なモノリスこそ、五大湖の〝魔力の元凶〟なのかもしれない。

▲▶上：1975年11月にスペリオル湖で突如沈んだエドムンド・フィッツジェラルド号。船体はまるでナイフでスパッと切られたように分離し、沈没したという。右：同号の沈没を報じる当時の新聞。

Superior Ore Vessel Lost

November Curse Hits Again

29 Men Missing In Lake

Wreckage Found, But No Survivors

In Brief

▲グレートレイクス・トライアングルでは現代でも怪奇現象が発生している。写真は2016年10月、スペリオル湖に幽霊船が出現したときのものだ。

ブリッジウォーター・トライアングル

UFO・UMA多発ゾーン

No.000066

アメリカ、マサチューセッツ州ボストンの南にある、アビントン、フリータウン、リホーバスを結ぶ三角地帯は「ブリッジウォーター・トライアングル」と呼ばれる、同州最大の超不思議ゾーンだ。とりわけトライアングル内にある町、ブロックトン近くのホロモック沼を中心とする約５００キロ平方メートルの広大な地域は、奇怪な現象が多発し、かつて原住民すら怖れて近づかなかった場所である。

この三角ゾーンではＵＦＯの目撃事件も多い。たとえば１９８９年9月夜、カップルが乗った車に、オレンジ色に輝くＵＦＯが接近。その後、ＵＦＯは高圧線の上に滞空し、猛スピードで飛び去っていった。

また、巨鳥ＵＭＡ「ビッグバード」も出現する。１９７１年7月のある晩、ホロモック沼を抜けてバードヒルという丘陵地帯を車で走行中の警官が、目の前を横ぎっていく体長１・８メートル、翼長3～4メートルの巨鳥を目撃。翼を羽ばたかせると、垂直に上昇して林を越え、暗い沼の方向に飛んでいったという。巨鳥は、１９８３年、１９８９年にも目撃されており、バードヒルのどこかに棲息地があるのではないかといわれている。

未知の動物といえば、ビッグフットのような獣人も、このゾーン内をうろついているという。たとえば１９８８年4月には、ホロモック沼の近くにある農家で、家畜が虐殺されるという事件が起きた。パトカーが現場に急行したところ、家畜小屋の周囲に直径40センチはあろう

▲怪奇現象が多発する三角地帯ブリッジウォーター・トライアングルのなかでも、とりわけ不思議なことが頻発するホロモック沼。

かという巨大な足跡がいくつも残っていた。さらに、調査の最中、「ギャーッ」という獣の吠える声を聞いた警官が声のした場所に行ってみると、月明かりのなか、なんと直立2足歩行する毛むくじゃらの怪物がいたのだ。警官がライトで照らすと、怪物は森の中に飛び込んで、そのまま姿をくらましてしまったという。

UFOから未知の動物まで、ブリッジウォーター・トライアングルには、実にさまざまな不思議があるのだ……。

ム認定
AUTHORIZATION

No.000067

マレーシア・トライアングル

異次元とつながる海域

マレーシア、スマトラ、そして南シナ海を結ぶ三角海域もまた、多数の船舶や飛行機が行方不明となる消滅海域である。ここでも突然の計器や無線機の故障、突発的な気象の激変、異常な濃霧の出現という、いわば「消滅」の主要要素ともいうべき異常現象が報告されている。

最新の消滅事件は2014年3月8日に起きている。マレーシアから中国の北京に向けて出発したマレーシア航空370便が、南シナ海上空で管制塔の交信を絶って行方不明になったのだ。世界26か国が参加して必死の捜査を続けたが、搭乗者はもちろん、機体の破片すら発見できなかった。

結果、2015年1月29日になってマレーシア政府は、同便の墜落および搭乗員全員死亡との推定を、正式に発表した。

その後、同便の失踪原因について、超常的解釈が飛び出した。場所が場所だけに、「マレーシア行方不明機は、異次元空間に呑みこまれたのではないのか?」と……。

そして2015年7月29日、事件が新展開を見せた。アフリカ東方マダガスカルからやや東の洋上にあるフランス領レユニオン島に、マレーシア航空機370便の一部と見られる部品が漂着したのだ。

そして、部品には実に不可解な物が付着──海の生物「エボシガイ」が無数に付着していたのだ。問題は、その大きさだ。同機は、この部品が発見された時点で、行方不明となってから1年と4か月しか経っていない。だが、エボシガイは数年を経たかのようなサイズだった。

だとすれば、部品は、〝どこか〟で数年の時を過ごし、再びこの世に戻ってきたとしか思えないのである。

〝どこか〟とは、むろんこの世界ではない。異次元空間だ。マレーシア機は、〝そこ〟に呑みこまれて、われわれの世界と異なる時間をすごした。そして、1年ほど経過した後に異次元ゲートが再び開き、機体の一部がわれわれの世界に戻ってきた──そう、推察されるのである。

▲2015年7月29日にアフリカ東方のフランス領レユニオン島で発見された、マレーシア航空機370便の一部。1年4か月ではここまで成長しない大きさのエボシガイが多数、付着していた。

▲▶上：同機が消息を絶った位置は、マレーシア・トライアングルの一部だ。
下：行方不明になったマレーシア航空機370便と同型機。

認定
AUTHORIZATION

サイレント・ゾーン

電波が消滅し隕石を呼ぶ異次元地帯

No.000068

メキシコ北部からアメリカにかけて広がる広大な砂漠上の、なんとも不思議な三角地域「サイレント・ゾーン」。それはメキシコ北部のシワワ、コアウィラ、ドゥランゴという3州が形づくっている地域だ。

ここで不思議な現象が発見されたのは、1964年のこと。石油鉱床の探査を行っていたメキシコの技術者ハリー・デラベナが、通信機を積んだトラックで調査中、砂漠で無線が不通になる、という体験をしたのがきっかけだ。不思議なことに、ベースキャンプに帰還すると無線は正常に作動したのだ。

その後、何度か現場で試したが、やはり電波は消滅してしまった。そのうえ、この区域だけに見られる特異な現象も、さらに明らかになった。まずサボテン。これがなんと紫色を帯びている。また、バッタが、ここではまったく跳ぼうとしない。だが、サイレント・ゾーンの一歩外に出ると、元気に跳ねまわっているのだ。

その後、デラベナは、電波が消滅する帯状の地域がいくつか存在することを突き止めた。幅はわずか3～4メートルだが、驚いたことに、その地域は移動するのだ！

怪奇現象はそれだけではない。ここサイレント・ゾーンはなぜか、大型の隕石が落ちる確率が他の場所よりずば抜けて多い。そして、ここは磁気が物理法則を無視して働くためか、突然変異を起こした動植物などが異様に多いという。

不思議な事実はまだある。1970年7月、アメリカ北部ユタ州グリーンリバーから南部のニューメキシコ州ホワイトサンズ・ミサイル試射場に向けて打ち上げられた電波誘導ミサイルが、発射後に行方をくらませた。ところが〝それ〟は、サイレント・ゾーンに引き寄せられるようにして落下していた。ミサイルを回収したNASAは沈黙したままだが、コースを大幅にそらさせてしまう「未知の力」が、この地域に秘められているということだ。

電波を消滅させ、隕石を呼ぶ……ここも、異次元ゾーンのようだ。

▲▶上：サイレント・ゾーンでは、サボテンが紫色になるなど、動植物に異様な変化が起きている。下右：ホワイトサンズ実験場の電波誘導ミサイル。なぜかゾーンに誘引されて降下してしまうという。下左：サイレント・ゾーンは隕石落下が他のエリアよりもずば抜けて多い。

No.000069

バス海峡トライアングル

オーストラリアの消失海域

オーストラリアとタスマニア島間のバス海峡も、船舶や飛行機が乗員もろとも消滅する「魔の海峡」だ。研究家たちは、そこを「バス海峡トライアングル」と呼ぶ。

一連の消滅事件では、奇怪な発光体や、青緑色の霧、白い靄の出現をともなうが、同トライアングル内で起きたもっとも有名な事件が１９７８年10月21日のフレデリック・バレンティッチ消失事件だ。午後6時すぎ、パイロットのフレデリックは、セスナ機でキング島に向かう途中、謎の物体と遭遇。「緑色のライトをつけた巨大な物体が旋回している」という無線連絡後、突然、金属音とともに無線は不通になり、彼は機体もろとも消えてしまったのだ。

実は、この事件が起こる6週間前から、オーストラリアではＵＦＯが多発し、当日はそのピークに当たっていた。フレデリックの消失時刻、緑色に光るＵＦＯの目撃者が複数いる。そして事件当夜、彼が消失する20分前に現場付近で無気味なＵＦＯが撮られていた。

さらに「ビクトリアＵＦＯ研究会」は、ＵＦＯの側面に貼りついたセスナ機を見たという農家の存在を明らかにしている。やはり、セスナ機が消えた事実には常識を超えた力が関与したことは間違いないのだ。

もちろん、消滅するのは飛行機ばかりではない。１９７９年12月、シドニーとホーバートを結ぶ海域でのヨットレースで、チャールストン号が競技中にバス海峡を通過後「白い靄に包まれた」と無線通信を残し、そのまま消失した。１９９０年1月には、レースに参加した帆船のグレート・エクスペンション号が、レース終了後にタスマニアへ帰還途中、海中を走る奇怪な発光体と接触したと無線で告げた後、消失している。

このように、魔の海域で発生する船舶や飛行機の遭難事件は、とても「事故」とは考えにくい様相を呈している。なにしろ、科学の粋を結集した機器や計器を備え、救難設備を持っている巨艦でさえ消滅してしまうのだから。

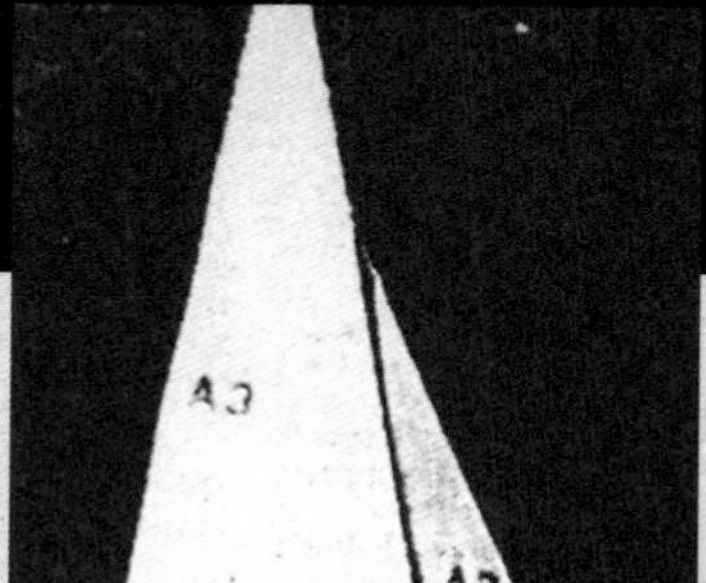

▲上：フレデリック・バレンティッチがセスナもろとも消失する20分前に事件現場で撮影されたというＵＦＯの写真。
下：フレデリック・バレンティッチと消えたセスナ。

◀1979年12月、ヨットレース中にバス海峡トライアングルで消えたチャールストン号。

田代峠

旧日本軍の兵器が秘匿される超不思議ゾーン

No.000070

山形県北東部、宮城県との県境にある「田代峠」は、さまざまな不思議事件が多発する東北最大の〝超不思議ゾーン〟である。地元の古老によれば、一度足を踏み入れたら二度とは戻れない「禁断の地」があり、さらには磁石の針がグルグル回るほどの磁気異常地帯も存在するという。そのせいか、山中で車のエンジンが突然停止したとか、腕時計が故障したという報告がある。

田代峠を象徴する奇怪な事件は1978年5月に起った高橋邦安氏の体験だ。山菜採りで峠深く入った高橋氏は、突然緑色のガスに包まれ、空中に浮かび、謎の洞窟へと吸い込まれた。岩肌には、雑多な金属片が貼られており、そのひとつには「金星発動機五十二型昭和十九年製三菱航空機株式会社」と刻まれていた。恐怖で洞窟を飛び出すと、強烈な緑色の光線を浴びた。急いで山を下ると、4日間が経っていた――。

彼はこの体験を手記に残したが、その後、突然、他界している。

その後、1985年9月25日、この洞窟へ迷い込んだのが、フリーのルポライター、塩野智康氏だ。彼が峠深く分け入ったとき、霧が発生し、低空に円形の発光体が出現。追跡され逃げるうち洞窟の前にいた。奥に侵入すると銀色の円盤型物体や、戦闘機に似た機体があった。脱出の際、緑色のガスに包まれて感覚がマヒしたまま帰還した。この体験は月刊「ムー」に掲載されたが、以後、彼は消息を絶っている。

田代峠近辺には、かつて旧日本軍による大本営設置計画があった。それに関連して秘密の洞窟がいくつ

か存在しているという。高橋・塩野両名が迷い込んだ洞窟は、その一部だったようだ。

かつて山形にあった「日本飛行機株式会社」で三菱製の戦闘機「秋水」が開発され、テストフライトに失敗して以後、歴史の闇に葬りさられている。洞窟の中の謎の機体は秋水であり、さらにその改良・開発された機体だったのではないのか。旧日本軍がその頭脳を結集したこの戦闘機は使用されることなく、今も秘匿されたままになっている可能性が高い……。

▲日本を代表する超不思議ゾーンのひとつ、田代峠。写真のような、自然にできたのか人工的に掘削されたのか不明の謎の洞窟が見られる。

認定

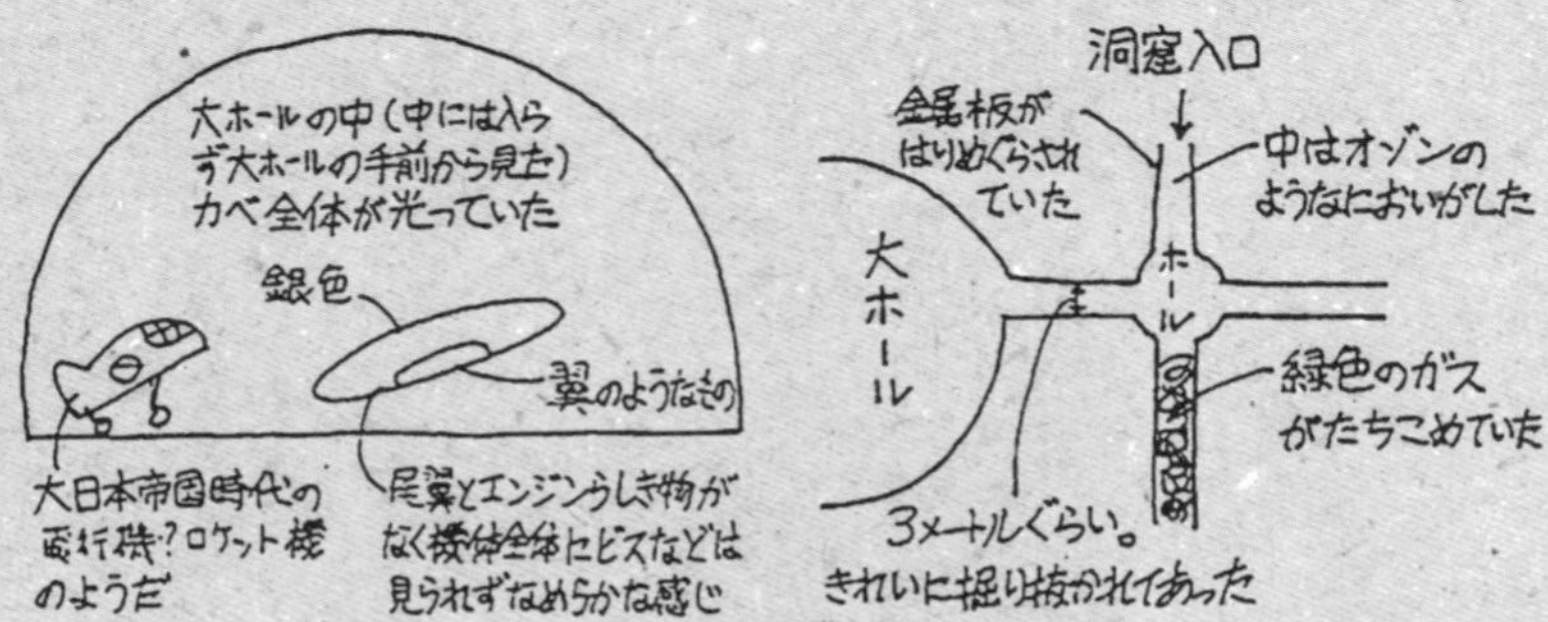
大ホールの中（中には入らず大ホールの手前から見た）
カベ全体が光っていた
銀色
翼のようなもの
大日本帝国時代の飛行機？ロケット機のようだ
尾翼とエンジンらしき物がなく機体全体にビスなどは見られずなめらかな感じ
洞窟入口
金属板がはりめぐらされていた
中はオゾンのようなにおいがした
大ホール
ホール
緑色のガスがたちこめていた
3メートルぐらい。きれいに掘り抜かれてあった

▲ルポライターの塩野智康氏による洞窟内のスケッチ。銀色の円盤はいったい何なのか？　田代峠の不思議な現象と関係があるのだろうか。
◀田代峠に点在する謎の洞窟を調査する筆者。

秋水

全　長	5.60ｍ
全　幅	9.50ｍ
全　高	2.70ｍ
全備重量	3600kg/ｈ
最大速度	800km/ｈ
上昇限度	12000ｍ
上昇時間	30mm残り2
乗　員	1名

▲▶上：旧日本軍がその頭
脳を結集したロケット戦闘
機、「秋水」。塩野氏が見
た謎の機体か？　右：謎の
洞窟に侵入したフリーのル
ポライター、塩野智康氏(左)。
現在は消息を絶っている。

認定
AUTHORIZATION

ムー的世界の新七不思議

2017年 6月6日　第1刷発行
2022年 8月8日　第7刷発行

著　者　並木伸一郎
発行人　松井謙介
編集人　長崎 有
企画編集　望月哲史
発行所　株式会社ワン・パブリッシング
〒110-0005　東京都台東区上野3-24-6

ブックデザイン　辻中浩一／内藤万起子（ウフ）
編集制作　小崎 雄
印刷所　大日本印刷株式会社
DTP制作　株式会社 明昌堂
参考資料・図版協力
並木伸一郎／日本フォーティアン協会／
FORTEAN CRYPTZOOLOGY SOCIETY ／
NASA ／ ufosightings.com ／ Google Earth ／
八幡書店／八重野充弘／ Alamy ／ロイター／アフロ

この本に関する各種のお問い合わせ先
内容等のお問い合わせは、下記サイトのお問い合わせフォームよりお願いします。
https://one-publishing.co.jp/contact/
不良品（落丁、乱丁）については　Tel 0570-092555
業務センター　〒354-0045 埼玉県入間郡三芳町上富279-1
在庫・注文については書店専用受注センター　Tel 0570-000346

ワン・パブリッシングの書籍・雑誌についての新刊情報・詳細情報は、下記をご覧ください。
https://one-publishing.co.jp/